Civiltà italiana

TESTO DI CONVERSAZIONE E CULTURA PER STRANIERI

Civiltà italiana

Autori
Donatella Pagnottini Sebastiani
Orietta Rossi Giacobbi

Copertina e impaginazione
Laura Ferriccioli

9. 8. 7. 6. 5.
2009 2008

ISBN 88-7715-563-9

I edizione
© Copyright 2002 Guerra Edizioni - Perugia

Guerra Edizioni
via Aldo Manna, 25 - Perugia (Italia) - tel. +39 075 5289090 - fax +39 075 5288244
e-mail: info@guerraedizioni.com - www.guerraedizioni.com

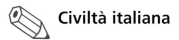 **Civiltà italiana**

Data

Corso n°   Gruppo

-----------------------------   -----------------------------

Nome ---

Cognome ---

Nazionalità --

Nato/a --- **il** -------------------------

Dove hai studiato l'italiano? --

Per quanto tempo? --

Qual è la tua occupazione? --

Quali sono i tuoi interessi nel tempo libero?

Cosa conosci dell'Italia?

Quali temi ti interessano dell'Italia?

Si ringraziano per gli interventi

su Napoli: il dott. Antonio Bassolino
su Palermo: il dott. Leoluca Orlando
su Roma: il dott. Francesco Rutelli
su Venezia: il dott. Massimo Cacciari

il prof. Franco Venanti
il prof. Piero Calmanti per il suo contributo
il sig. Gianfranco Vissani di averci risposto ai quesiti circa l'arte culinaria
il sig. Pasquale Cavaliere per la sua squisita disponibilità
la sig.na Barbara Pirisinu
e tutti quanti hanno contribuito alla stesura di questo testo.

Progetto grafico di copertina: Laura Ferriccioli

Introduzione

Questo libro è nato dall'esigenza di rispondere in maniera semplice e organica ai molti quesiti che uno straniero, ignaro del nostro passato e della nostra cultura, si pone nei confronti della realtà italiana. Spesso infatti le grandi differenze che esistono nel nostro paese sono fonte di curiosità e domande che trovano risposte solo nella storia, nella tradizione e nell'arte di una terra che ha vissuto nei secoli molteplici e diverse esperienze.

Questo testo non ha in alcun modo la pretesa di avere una valenza storica, letteraria o artistica, ma vuole solamente disegnare un quadro generale e di facile comprensione dell'evoluzione dell'Italia attraverso descrizioni, cenni storici, fatti, personaggi, leggende, opere d'arte, scrittori, così da delineare le tappe, a nostro avviso più significative e interessanti per uno straniero, della complessa realtà della nostra nazione.

Nella prima parte si è voluto dare un cenno generale dell'attualità italiana e delle sue caratteristiche odierne mettendo in luce le diversità fra le città più note e la loro natura. I testi sono corredati spesso di spunti per la discussione che sono evidenziati sotto forma di curiosità o interviste a personaggi di rilievo e di esercizi di rielaborazione nonché di riflessioni grammaticali.

Nella seconda parte si fa uso delle carte storiche utili per stimolare lo studente ad un confronto con le aree geografico-politiche attuali e prendere atto delle diverse esperienze culturali vissute in Italia. I riferimenti artistici e storici, le citazioni di personaggi celebri servono a delineare lo sviluppo cronologico della nostra civiltà.
Le curiosità aiutano ad approfondire gli argomenti trattati qualora il livello e l'interesse dell'uditorio lo richieda. Gli esercizi sono un supporto di carattere linguistico e di stimolo alla produzione orale.

In sostanza l'articolazione del testo è tale da rendere estremamente elastico l'approccio comunicativo.

Sommario

PARTE PRIMA

L'ITALIA, UN PAESE ETEROGENEO *Curiosità ed esercizi*　　　　　p. 11

DESCRIZIONE GEOGRAFICA *Curiosità ed esercizi*　　　　12

L'ECONOMIA AGRICOLA *Curiosità ed esercizi*　　　　15

L'ITALIA INDUSTRIALE *Curiosità ed esercizi*　　　　17

LA POPOLAZIONE *Curiosità ed esercizi*　　　　19

GLI ITALIANI E LO SPORT *Esercizi* - La preghiera del calciatore　　　　25

DIALETTI E MINORANZE LINGUISTICHE *Curiosità ed esercizi*　　　　27

LA REPUBBLICA DI SAN MARINO E LO STATO VATICANO *Curiosità ed esercizi*　　　　28

L'ORDINAMENTO DELLO STATO *Curiosità* - La Costituzione - *Esercizi*　　　　30

FESTE E TRADIZIONI Il palio di Siena - *Curiosità ed esercizi*　　　　33

IN CUCINA Gianfranco Vissani - *Curiosità ed esercizi*　　　　37

LA MUSICA CLASSICA *Curiosità* - Rossini e Puccini - *Esercizi*　　　　40

LA MUSICA LEGGERA *Curiosità* - Lucio Battisti - *Esercizi*　　　　41

IL CINEMA *Curiosità* - Gassman - Sordi - Mastroianni - Loren - *Esercizi*　　　　45

IL TEATRO *Curiosità* - Carlo Goldoni Eduardo De Filippo - Pirandello - *Esercizi*　　　　48

REGIONI ALPINE E REGIONI DI CONFINE *Curiosità* - Italo Svevo - *Esercizi*　　　　50

TORINO E LA FIAT *Curiosità* - Giovanni Agnelli e la prima automobile - *Esercizi*　　　　53

GENOVA E LE CINQUE TERRE *Curiosità* - Cristoforo Colombo - *Esercizi*　　　　56

MILANO *Curiosità* - Mondadori e Armani - *Esercizi*　　　　59

VENEZIA *Curiosità* - Giacomo Casanova - Intervista al Sindaco - *Esercizi*　　　　64

BOLOGNA *Curiosità* - Enzo Ferrari - *Esercizi*　　　　68

FIRENZE *Curiosità* - Indro Montanelli - *Esercizi*　　　　71

PERUGIA E L'UNIVERSITÀ *Curiosità* - Pietro Vannucci - Franco Venanti - *Esercizi*　　　　74

ROMA *Curiosità* - Trilussa - Intervista al Sindaco di Roma - *Esercizi*　　　　79

NAPOLI *Curiosità* - Marcello D'Orta - Intervista al Sindaco di Napoli - *Esercizi*　　　　83

BARI *Curiosità* - Padre Pio - *Esercizi*　　　　89

Il PARCO NAZIONALE D'ABRUZZO E DEL POLLINO *Curiosità* - Ignazio Silone - *Esercizi*　　　90

CALABRIA *Curiosità* - Corrado Alvaro - *Esercizi*　　　　93

LA SICILIA *Curiosità* - Intervista al Sindaco di Palermo - Tomasi di Lampedusa, brani da «Il Gattopardo» - *Esercizi* - Ipotesi sull'origine della Mafia - Documenti Leopoldo Franchetti - Leonardo Sciascia　　　　96

LA SARDEGNA *Curiosità* - Gavino Ledda - *Esercizi*　　　　106

LE PICCOLE ISOLE *Curiosità* - Intervista al Sig. P. Cavaliere - Elsa Morante - *Esercizi*　　　111

PARTE SECONDA

Cenni di Storia: I PIU' ANTICHI ABITANTI DELLA PENISOLA ITALIANA   p. 119

I FENICI *Esercizi*   119

LE COLONIE GRECHE L'Arte: Bronzi di Riace - I Templi di Agrigento - Archimede - *Esercizi*   121

GLI ETRUSCHI *Esercizi* - L'Ipogeo dei Volumni - L'arco Etrusco di Perugia   123

LA LEGGENDA DELLA FORMAZIONE DI ROMA *Esercizi*   125

Cenni di Storia: LE CONQUISTE DI ROMA   127

LA CIVILTÀ ROMANA La Domus romana, le terme, le città - L'Arte: Il Colosseo, I mosaici di Piazza Armerina - *Curiosità ed esercizi*   127

GIULIO CESARE *Esercizi*   131

OTTAVIANO AUGUSTO *Esercizi*   132

CICERONE *Esercizi e curiosità*   133

Cenni di Storia: LA FINE DELL'UNITÀ DELL'IMPERO ROMANO   134

Cenni di Storia: L'IMPERO ROMANO D'ORIENTE E I LONGOBARDI L'Arte - Curiosità: la donazione di Sutri   135

Cenni di Storia: CARLO MAGNO IN ITALIA E L'AVANZATA DEGLI ARABI   137

Cenni di Storia: I NORMANNI *Curiosità ed esercizi*   138

Cenni di Storia: L'ITALIA INTORNO ALL'ANNO MILLE   140

IL PRIMO MEDIOEVO: IL FEUDALESIMO *Esercizi*   140

IL SECONDO MEDIOEVO: IL COMUNE *Curiosità*   141

I SEGNI DELLO ZODIACO   143

L'ARCHITETTURA ROMANICA E GOTICA   144

SAN FRANCESCO *Esercizi*   145

PITTURA MEDIEVALE Cimabue, Simone Martini, Ambrogio Lorenzetti, Giotto di Bondone - *Esercizi*   147

LA NASCITA DELLA LINGUA ITALIANA   149

DANTE ALIGHIERI *Curiosità* - La Divina Commedia   150

Cenni di Storia: LE REPUBBLICHE MARINARE *Curiosità*   152

VENEZIA *Esercizi*   153

UMANESIMO E RINASCIMENTO L'Arte: Brunelleschi, Donatello, Gentile da Fabriano, Beato Angelico, Masaccio, Sandro Botticelli, Piero della Francesca, Bramante, Mantegna, Il Perugino, Pinturicchio - *Esercizi*   155

Cenni di Storia: L'ITALIA NEL PERIODO RINASCIMENTALE Niccolò Machiavelli, Lucrezia Borgia, Maria Bellonci - *Esercizi* - L'Arte: Leonardo, La Gioconda, Raffaello, Michelangelo, Tiziano, Tintoretto   161

Cenni di Storia: IL SEICENTO *Esercizi*   166

IL BAROCCO *Esercizi*   p. 167

GALILEO GALILEI Il Processo a Galileo - *Esercizi* -   168
L'Arte: Borromini, Bernini, Caravaggio

ALESSANDRO MANZONI Brano da «I promessi sposi» - *Esercizi*   170

Cenni di Storia: IL SETTECENTO L'Arte: Longhi, Tiepolo, Canaletto - *Esercizi*   172

Cenni di Storia: NAPOLEONE IN ITALIA L'Arte: Canova - *Esercizi*   174

Cenni di Storia: IL CONGRESSO DI VIENNA   175

IL LOMBARDO-VENETO AUSTRIACO   175

I BORBONI A NAPOLI Le ceramiche di Capodimonte   176

Cenni di Storia: IL RISORGIMENTO *Curiosità* - Cavour - La Spedizione dei Mille -   177
Vittorio Emanuele II Re d'Italia - Perché Roma capitale - I problemi dopo l'Unità
d'Italia - Il sud e il brigantaggio - *Esercizi* - Viva Verdi

Cenni di Storia: LA PRIMA GUERRA MONDIALE   181

LA LEGGENDA DEL PIAVE   181

IL DOPOGUERRA Gli schieramenti politici - Il Fascismo e l'Antica Roma - *Curiosità*   182
Benito Mussolini - Gabriele D'Annunzio - Brano dalla poesia «La pioggia sul pineto»

Cenni di Storia: LA SECONDA GUERRA MONDIALE   185

L'ITALIA IN CRISI L'arresto di Mussolini - L'arrivo degli Alleati - La Repubblica   186

BREVE STORIA DELLA LINGUA ITALIANA DA DANTE FINO A OGGI   187
L'Accademia della Crusca

IL NOVECENTO E L'ARTE Modigliani - Guttuso   188

L'INNO NAZIONALE   189

Civiltà italiana

L'ITALIA OGGI

Parte Prima

ITALIA POLITICA

- ■ capitale di Stato
- ● capoluogo di regione
- ○ capoluogo di provincia
- ○ altre località
- ▲ monti

0   50   100 km

L'ITALIA, UN PAESE ETEROGENEO

E' facile immaginare lo stupore di uno straniero, che viaggiando in Italia, vede cambiare con rapidità non solo il paesaggio, ma la lingua, le abitudini e perfino l'aspetto fisico della gente. Dai ritmi veloci ed europei delle città del nord, si passa all'atmosfera raffinata e nobile delle antiche città di tradizione marinara come Genova, Venezia e Pisa, fino alla sorniona pigrizia di Roma o alla scanzonata confusione di Napoli. Poi giù, fino alla punta estrema della penisola, dove alcuni paesini somigliano a villaggi arabi e dove è possibile trovare monasteri, castelli, chiese di grande splendore ma con architetture diverse, segno di differenti dominazioni. Uno stato piccolo e giovane che custodisce gelosamente le sue diversità. L'individualismo degli italiani, il campanilismo, il gusto per la polemica, hanno origine nel complicato mosaico della storia. Molti popoli si sono alternati nella nostra penisola ed ognuno ha lasciato una traccia, sia nei tratti somatici della gente, sia nella lingua arricchita da parole francesi, arabe e spagnole... Differenze anche nei sapori della cucina, nelle tradizioni, nelle abitudini che spingono il viaggiatore a porsi tanti perché.

CURIOSITÀ

- Anticamente i Greci chiamarono l'Italia Esperia (terra del tramonto), poi Enotria (terra del vino).
- I tratti somatici della gente del sud sono decisi, caratterizzati da coloriti scuri illuminati a volte da occhi chiari. Al nord invece i lineamenti sono più dolci e minuti e la pelle è chiara.

Forma delle frasi:

1. --- con stupore

2. Il ritmo ---

3. --- è sornione

4. Il mosaico ---

5. Il campanilismo ---

6. --- la polemica

7. --- è scanzonato

8. L'aspetto fisico ---

Indica con quale superlativo puoi sostituire l'espressione:

«Chiese di grande splendore»

DESCRIZIONE GEOGRAFICA

L' / L'Italia, originale penisola a forma di stivale, si allunga nel mare Mediterraneo. A nord la catena montuosa delle Alpi disegna il confine con i paesi vicini. Alcune cime, innevate tutto l'anno superano i 4000 metri. Il paesaggio, dal Monte Bianco fino alle Dolomiti con prati e ghiacciai è famoso per la sua bellezza. Qui, ci sono i grandi laghi: il lago di Como, il lago Maggiore e quello di Garda. Anche la pianura padana, la più estesa, si trova nel settentrione ed è percorsa dal Po, il fiume più lungo d'Italia. In questa zona fertile e ricca si concentrano molte attività agricole e industriali.

La costa a nord-ovest, in Liguria, è incantevole e famosa per la coltivazione dei fiori.
A nord-est troviamo la laguna di Venezia.
In lunghezza l'Italia è attraversata dalla catena degli Appennini che ha montagne di modesta altezza e territori fertilissimi come le colline del Chianti note per i vigneti e i boschi di castagno e abeti. In Abruzzo e in Basilicata si trova uno dei parchi naturali più grandi d'Italia. Vicino a Napoli c'è la spettacolare costiera amalfitana a strapiombo sul mare. Il tacco dello stivale è occupato dalla Puglia pianeggiante fino al golfo di Taranto. Più selvaggio il promontorio del Gargano coperto di foreste. Infine la Calabria con i suoi 700 km di costa estesa fra il Tirreno e lo Ionio dove si affacciano agrumeti e boschi di pini.

CURIOSITÀ

 Dal punto di vista climatico in Italia possiamo distinguere quattro regioni:
- La regione alpina fredda e nevosa specialmente nel periodo invernale.
- La regione prealpina dove i grandi laghi attenuano il freddo.
- La regione padana che ha un clima continentale con sbalzi di temperatura tra estate e inverno, dove l'umidità genera spesso la nebbia e in estate l'aria diventa afosa e irrespirabile.
- Le regioni costiere, il sud e le isole che hanno un clima mite e dolce, con piogge prevalentemente autunnali ed estati lunghe e calde.

Scegli le parole adeguate per descrivere il tuo paese utilizzando anche quelle evidenziate in azzurro nel brano «Descrizione geografica»:

Il mio paese confina con: ....
....

Il nord del mio paese è... arido, montuoso, pianeggiante, collinoso, fertile...

Il centro è... ....

Il sud è... ....

I fiumi sono... brevi, lunghi, ricchi d'acqua, poveri d'acqua, navigabili, profondi, con rapide...

Le coste sono
basse, diritte, sabbiose, ghiaiose, rocciose, selvagge, dolci, frastagliate...

La zona fertile è
pianeggiante, collinosa, terrazzata...

La zona arida è
montuosa, desertica, stepposa, paludosa...

La vegetazione è
rigogliosa, cespugliosa, boscosa, mediterranea, nordica, continentale...

La fauna è caratterizzata da
cervi, scoiattoli, volpi, cinghiali, lupi, orsi, serpenti, cavalli, pecore, capre, lepri, asini, fenicotteri, corvi, aquile, falchi, cormorani, gabbiani, leoni, tigri, zebre, elefanti...

Il clima è
caldo, umido, secco, freddo, continentale, mediterraneo, mite, tropicale, equatoriale, piovoso...

Il paesaggio è
aspro, dolce, suggestivo, selvaggio, triste, assolato...

Quali verbi derivano dalle parole:

Foce ---

Sorgente --

Affluente --

Cascata ---

Argine --

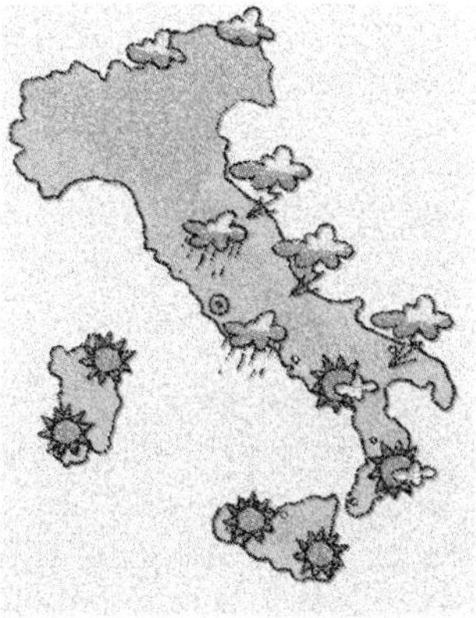

Indica a quale lettera corrispondono gli alberi elencati:

cipresso toscano ☐

abete ☐

castagno ☐

quercia ☐

pino mediterraneo ☐

E

B

A

D

C

L'ECONOMIA AGRICOLA

L'agricoltura è stata per molto tempo l'attività principale in Italia, ma oggi la nostra produzione non è più sufficiente alle necessità nazionali. Le regioni in cui l'agricoltura ha avuto uno sviluppo migliore sono quelle del nord, dove le condizioni ambientali favorevoli, come la pianura padana, e la ricchezza di acqua hanno favorito le aziende agrarie.

Qui, infatti, molti agricoltori si sono associati in cooperative per avere più forza sul mercato ed hanno organizzato anche le attività della conservazione e della trasformazione dei prodotti creando vere e proprie industrie alimentari.

In altre regioni lo sviluppo agricolo ha sofferto e la conseguenza è stata l'abbandono dell'agricoltura e della terra per il lavoro in città. Oggi c'è una riscoperta della campagna grazie alla diffusione di prodotti DOC, cioè prodotti di alta qualità, ed alla moda delle vacanze in agriturismo. Questo ha dato un nuovo impulso alle attività agricole, anche alle più piccole.

Le nostre produzioni possono essere divise secondo il territorio in tre fasce diverse. Al nord si coltiva granoturco, riso, barbabietola da zucchero, frutta, foraggio per animali e fiori verso la costa ligure. All'attività agricola spesso è associato l'allevamento del bestiame specialmente quello bovino. Al centro Italia l'agricoltura presenta colture miste di cereali, viti, olivi, tabacco, girasole, alberi da frutta e ortaggi insieme ad allevamenti di suini, ovini e pollame. Al sud e in Sicilia è famosa la coltivazione del grano duro, ottimo per la pasta, degli agrumi, dei pomodori, degli olivi, delle viti per vini pregiati. La Sardegna è nota per la produzione di sughero e per gli allevamenti di ovini.

CURIOSITÀ

 Le cooperative

Sono formate da un minimo di nove soci ed hanno lo scopo di aiutare la creazione di aziende fra soggetti che non hanno grandi disponibilità finanziarie, ma possono portare come contributo alla società la propria capacità lavorativa. Tali società garantiscono infatti il lavoro ai soci, gli utili prodotti non sono tassati e vengono reinvestiti nello sviluppo della cooperativa stessa. Inoltre le cooperative hanno notevoli agevolazioni fiscali e godono di contributi da parte dello Stato.

 S.r.l.

È una società di capitali. Il capitale minimo per la costituzione è di 10.330,00 Euro. I soci, anche se l'attività intrapresa dalla società procurasse perdite, rischiano solamente con il capitale versato.

 S.p.a.

È una società per azioni composta da una serie di azionisti che investono capitali.

Rispondi alle seguenti domande utilizzando anche le parole evidenziate in azzurro nel brano «L'ecomomia agricola»:

1. Quali sono i prodotti dell'agricoltura del tuo Paese?

----

2. Ci sono prodotti DOC? Quali?

----

3. Come è organizzata l'agricoltura?

----

4. L'agricoltura è concentrata in zone particolari?

----

5. Quali prodotti si esportano?

----

6. Quali prodotti si importano?

----

7. L'agriturismo è diffuso nel tuo Paese? Se sì, dove?

----

8. Quali allevamenti ci sono?

L'ITALIA INDUSTRIALE

I sistema economico italiano si è profondamente trasformato fra il 1951 ed il 1961. Da paese prevalentemente agricolo L'Italia è diventata un paese industrializzato.

La mancanza di materie prime, ha fatto crescere soprattutto le industrie di trasformazione. Lo sviluppo industriale degli anni '50, essendo legato all'Europa, si è concentrato in modo particolare nelle città settentrionali (Milano, Torino, Genova) dove esisteva già per tradizione e mentalità una classe borghese attiva e abituata al commercio. Questo ha pro-

vocato una forte immigrazione di mano d'opera dal sud verso il nord dell'Italia con i relativi problemi di integrazione. La rapida modernizzazione e l'informazione hanno creato un modello di società consumistica con nuovi standard di vita. Il boom dell'automobile, del turismo, le nuove abitudini alimentari, lo sport, l'elettronica, la moda hanno stimolato la nascita di nuove industrie competitive sui mercati mondiali. La più nota fra le nostre industrie è la FIAT, ma sono famose anche la OLIVETTI nell'informatica, la BARILLA e FERRERO nelle alimentari, la PIAGGIO e l'APRILIA per le due ruote, la LUXOTTICA per gli occhiali. A queste vanno aggiunti i cantieri navali e le aziende più piccole a carattere artigianale numerose nel centro Italia: pensiamo a quelle della pelletteria, ai calzaturifici, alla ceramica, al legno, al vetro, ai dolciumi, alla lana e ai raffinatissimi pizzi.

CURIOSITÀ

L'imprenditoria umbra

Si definisce imprenditore umanista, protagonista di un nuovo Rinascimento: è Brunello Cucinelli, esponente di spicco dell'imprenditoria umbra. Geniale, pratico, amante del bello ha ristrutturato un antico borgo: Solomeo, per farne la sede delle sue aziende di maglieria di cachemire. I suoi dipendenti lavorano in sale cinquecentesche che ricordano ville importanti dando al lavoro un'atmosfera di grande umanità che nulla ha a che vedere con le alienanti situazioni delle fabbriche. Un'azienda dove si lavora con entusiamo e tranquillità, di proporzioni umane ma grandissima nel suo marchio. Il cachemire di alta moda porta in tutto il mondo il nome di Brunello Cucinelli.

Indica quali materie prime ci sono nel tuo paese fra quelle elencate:

Il ferro	Il petrolio
Il rame	Il mercurio
Il carbone	L'argento
L'oro	I diamanti

Spiega cosa producono le industrie elencate e se ci sono anche nel tuo paese:

Meccaniche

Tessili

Alimentari

Farmaceutiche

Chimiche

Elettroniche

Metallurgiche

Edili

Siderurgiche

Navali

Rispondi alle domande:

Nel tuo paese le industrie dove sono concentrate? --------------------------------

La manodopera è straniera o locale? --

Qual è il salario medio di un operaio? --

Di quante ore è l'orario di lavoro giornaliero? -----------------------------------

Quanto durano le ferie? --

LA POPOLAZIONE

Gli italiani sono circa 57 milioni, diversamente distribuiti nelle varie regioni, in relazione al clima, all'abitabilità, alle offerte di lavoro. La popolazione cresce a ritmo più lento che in passato, ogni famiglia ha in media due figli. Il cittadino italiano non è molto soddisfatto dello Stato a causa delle disfunzioni della burocrazia e di altri disservizi. Lamenta ingiustizia del fisco, servizi sociali poco efficienti, lentezza nella giustizia. La scuola, secondo una nuova

L'ATTUALE ORDINAMENTO SCOLASTICO ITALIANO	
Come si chiama:	Ipotesi di riforma:
SCUOLA MATERNA 3-6 anni	SCUOLA D'INFANZIA 3-6 anni
SCUOLA ELEMENTARE 6-11 anni	SCUOLA DI BASE 6-13 anni
SCUOLA MEDIA INFERIORE 11-14 anni	
SCUOLA MEDIA SUPERIORE 14-19 anni	SCUOLA SECONDARIA 13-18 anni

proposta di legge, dovrebbe essere rinnovata. Le Università hanno molti iscritti ma non tutti si laureano e non tutti trovano facilmente un lavoro. Molti giovani preferiscono restare in famiglia, un po' per tradizione, un po' per difficoltà economiche e la lasciano quando si sposano. Il matrimonio tradizionale esercita ancora il suo fascino anche se la convivenza è entrata nel nostro costume ed il divorzio è in aumento. Lo spirito nazionalistico non è fortissimo negli italiani che sono piuttosto campanilisti ed ancora divisi da tradizioni, culture e mentalità diverse. La popolazione, come in tutta Europa, sta invecchiando grazie all'allungamento della vita media e alla diminuzione delle nascite. Questo fenomeno ha trovato impreparato il nostro paese che ha poche strutture per la terza età e un programma per le pensioni non adeguato. Il Governo sta preparando una riforma che dovrebbe risolvere questo problema che non è solo italiano ma comune a molti altri paesi. Gli italiani non sono grandi lettori, alla lettura preferiscono la televisione e la radio. Sono abbastanza consumisti e attenti all'esteriorità. Da paese di emigranti è diventato oggi meta dell'emigrazione che proviene dai paesi dell'Est Europa e del Nord Africa. Molti di coloro che hanno un regolare permesso di lavoro sono occupati nella prestazione di quella stessa manodopera che una volta i nostri emigranti cercavano all'estero.

Tre consigli alle mamme, separate e no

1. Fate un'opzione di fiducia: non abbiate paura di affidare il bambino al padre. Sembra scontato, eppure basti pensare che in natura la femmina subito dopo il parto allontana i cuccioli dal maschio.
2. Lasciate papà e figlio da soli per qualche ora. Sicuramente si rilasseranno di più se non ci sarete voi a "sorvegliarli".
3. Dimenticate di essere una mamma. Mettetevi nella testa di vostro figlio, per capire di cosa ha bisogno. Tornate indietro nel tempo e ripensate al rapporto che avevate con vostro padre. Cosa vi piaceva fare con lui? Avreste desiderato passare più tempo insieme? (Con la consulenza della dottoressa Daniela Bavestrello)

CURIOSITÀ

! A proposito di divorzio
Per ottenere il divorzio occorre essere separati legalmente da tre anni. Solo trascorso questo periodo i coniugi possono chiedere il divorzio che non è una concessione ma un diritto che ognuna delle parti può esercitare.

! A proposito di uomini
Una nota rivista ha pubblicato un campionario degli uomini italiani, ne riconosci qualcuno?

L'EDIPICO: per lui la mamma viene prima di tutte. È ancora attaccato alle sue gonne perché nessuna, ovviamente, può competere con lei. Quando mangia aspetta che voi gli tagliate la carne. Avrete delle chance soltanto se diventerete la miglior amica della madre e cercherete di somigliarle. Cosa non sempre augurabile.

LO schizzato: di giorno è un professore educato, modello di virtù e moralità, se vogliamo, persino un po' noioso. Di notte si impasticca di ecstasy e, dimentico di sé, compie gesti stravaganti e folli, per cui se lo incontrate di notte non lo riconoscete.

LO YUPPIE: emotivamente instabile, ambizioso, inaffidabile. Le donne lo trovano irresistibile. E lui ne approfitta, per far carriera: dalla cinquantenne che lo inizia ai segreti di borsa all'aristocratica che lo introduce nei migliori salotti, alla moglie del politico che lo assume come portaborse. Ama le cene in piedi dove si presenta con donne bellissime e molto chiacchierate. È coccolato, incensato e pieno di sé: un monumento, come il Canal Grande o la Lupa che allatta. Non vi ricorderà mai.

L'INSICURO: non si sente mai all'altezza, rimanda ogni decisione. Si sottovaluta e scappa perché teme che prima o poi vi stancherete di lui. In realtà è un aspirapolvere. È inutile perché non suscita gelosie. È dannoso perché vi fa perdere tempo preziosissimo. Sembra disponibile ma in realtà è lui a disporre di voi. Ma provate a pensarlo fra dieci anni: orrendo.

IL MODAIOLO: griffato dalla testa ai piedi nei mocassini marchigiani doc in puro stile Boston Yachting club. Lo si incontra mentre si aggira con indolenza sul pontile di Cala Galera, al polso il cronografo esclusivo, sul naso le lenti da sole di Bruce Willis. Parla soltanto di trend e di must: non è un uomo, è uno spot.

IL NARCISO: al lettino dell'analista ha sostituito quello dell'estetista. Quando esce con voi invece di guardare le donne, guarda il suo riflesso sulle vetrine. Vi domanda cosa pensate di lui, guai se non lo elogiate. Finirà per rubarvi il fondotinta e per abbandonarvi per una che lo adula più di voi.

IL FALSO SINGLE: ha la faccia da evaso. Ride sempre. Si guarda in giro senza voltare la testa. Posa a scapolone ma non lo è. La fretta lo tradisce. Promette di sposarvi tanto sa che non può. Porta camicie con il doppio polsino e i gemelli. Se vi invita a cena, è parsimonioso. Legge il menù da destra (prezzi) a sinistra (piatti). Il conto lo legge due volte. Nei momenti di intimità vi chiama Pina, che è il nome della moglie. Pensate che fortuna non essere la Pina.

Spunti per la conversazione...

Se riconoscete qualche vostro amico fra questi personaggi descrivetelo usando se necessario le parole e le espressioni sottolineate:

_____

_____

_____

_____

_____

La donna

Sondaggi e inchieste ci danno un quadro della donna italiana. Più passionale e legata alla famiglia al Sud; forte e volitiva, tesa a conquiste concrete, esigente e critica nei confronti del mondo esterno al Nord.

LE RAGAZZE DEL 2000 AMANO SOLDI, TV E CHIRURGO ESTETICO:

Hanno tra i 16 anni e i 25 anni, l'impegno politico non fa per loro, troppo concentrate a ottenere più soldi, a rientrare tardi la sera, a guardare la televisione o a migliorare l'aspetto estetico, anche con l'aiuto del bisturi.

Sono le ragazze del 2000, autoritarie e disimpegnate, fotografate da un'indagine della rivista «20 anni». Su un campione di 742 ragazze, molte si dicono pronte a litigare per ottenere più soldi, o andare dal chirurgo estetico per rifarsi naso e seno e pronte a imporsi con i genitori, con i fratelli, con il fidanzato.

Solo il 20% dichiara di litigare ancora per la politica o per sostenere le proprie convinzioni. Il confronto anche aspro, le ragazze del 2000 lo affrontano più volentieri per denaro e libertà.

Spunti per la conversazione…

Ti riconosci in questa immagine? Parliamone.

LE DONNE? MOLTO PIU' BRAVE DEGLI UOMINI A NASCONDERE RELAZIONI EXTRA CONIUGALI

Perde colpi l'immagine dell'uomo che non solo tradisce, ma anche intrattiene lunghe relazioni. O meglio le relazioni più lunghe. Da una ricerca promossa dall'Istituto di Studi di Psicologia emerge che sono più le donne (56% dei casi) a condurre per periodi medio lunghi (dai 5 ai 10 anni) relazioni sentimentali. Nel caso degli uomini i tradimenti si concretizzano nel giro di massimo 4 anni in vere e proprie nuove coppie. Secondo l'inchiesta le donne sposate, soprattutto fra i 30 e i 45 anni, dimostrano un'abilità straordinaria a far convivere realtà sentimentali senza che il proprio amante venga scoperto. Le più intraprendenti sono le manager 45%, le imprenditrici 37%, le attrici 32%, le operatrici della new economy 28% ma anche le casalinghe non scherzano: 4 su 10!

G.SCOTTI   G.GNOCCHI

▌ A proposito di giovani

ALESSANDRO PREZIOSI
attore 27 anni

"Ho avuto una crescita repentina, ho lavorato subito come avvocato poi come attore. Il lavoro mi ha responsabilizzato con troppa rapidità. E ho avuto un figlio.
Sono un ragazzo con i piedi per terra. Ma se potessi vorrei tornare indietro, mantenermi leggero".

GABRIELE MUCCINO
regista del film "L'ultimo bacio"

"Dovevo raccontarla questa storia.
Sentivo troppo questa inquietudine diffusa, le ragazze che crescevano e cominciavano tutte insieme ad avere voglia di diventare madri e i ragazzi in preda al panico, con una gran voglia di fare i single, di crogiolarsi in questa seconda adolescenza.
Vivere le emozioni è difficile. Abbiamo paura di essere feriti e scappiamo. Se vivi in superficie è più difficile che poi qualcuno o qualcosa ti trascini sul fondo, allora sogni il viaggio, la libertà.
E distruggi le storie importanti e belle e fai soffrire chi ti ama perché non ti senti pronto".

ANNA MASOTTI
giovane manager impegnata
nell'azienda di famiglia "La Perla"

"Noi italiane siamo come Sofia Loren, ci piace metterci in mostra, ma mai in maniera volgare. Siamo calde e appassionate e prestiamo molta attenzione al nostro aspetto. Ma soprattutto è importante essere donna: questo viene sempre prima del seguire la moda".

Spunti per la conversazione...

Il malessere dei giovani adolescenti traspare da quotidiani fatti di violenza, disagi, insicurezze? Quali sono le cause?

Genitori distratti
Educazione superficiale
Scuola non adeguata
Troppa libertà
La tendenza a viziare i figli
La mancanza di valori
I modelli della società
L'influenza dei mass media

Vogliamo parlarne?

▌ Gli anziani

Il problema degli anziani è legato alla mancanza di strutture adeguate ad affrontare i problemi della cosiddetta terza età, come la carenza di luoghi di incontro e di case di riposo che sono insufficienti e costose. Questa situazione è stata determinata anche dalla tradizione italiana, di assistere gli anziani all'interno della famiglia, dove spesso i nonni convivono con i nipoti.

Cosa leggono gli italiani?

Fra le letture preferite degli italiani c'è la pagina che molte riviste dedicano alla posta. Se diamo uno sguardo ad alcune lettere si potranno capire certi aspetti della mentalità italiana.

| QUANTO SI VIVE IN ITALIA

UOMINI
78 anni

DONNE
85 anni

In Europa: uomini **74**, donne **80**

CHI VIVE DI MENO

1 CUOCHI E CAMERIERI
2 FACCHINI
3 OPERATORE ECOLOGICO
4 FABBRI
5 ELETTRICISTI
6 COMMESSI
7 GUARDIE
8 OPERAI NON SPECIALIZZATI

E CHI VIVE DI PIÙ

1 IMPIEGATI
2 BANCARI
3 OPERAI SPECIALIZZATI
4 PROFESSIONISTI
5 MEDICI
6 AMMINISTRATORI PUBBLICI
7 INSEGNANTI

LE PATOLOGIE PIÙ GRAVI

1 MALATTIE CARDIOVASCOLARI
2 TUMORI
3 MALATTIE APPARATO RESPIRATORIO

LE ALTRE CAUSE DI MORTE

1 INCIDENTI STRADALI
2 INCIDENTI DOMESTICI
3 INFORTUNI SUL LAVORO*

*L'Italia è al primo posto in Europa

Ama il farmacista ma non sa come dirglielo

Temo di essermi innamorata del mio farmacista. È un uomo affascinante, di una decina d'anni più vecchio di me. E credo di non dispiacergli affatto, dato che quando ci incontriamo parliamo e scherziamo come se fossimo vecchi amici. Il problema è che non si va oltre questo rapporto cordiale e non so neppure se abbia un legame sentimentale. Ma ormai questa storia mi sta togliendo il sonno. Del resto sono molto timida e non saprei davvero come fare per forzargli la mano e chiarire una volta per tutte la situazione. Cosa mi suggerisce?

Maria '79

 RISPONDE VITTORIO FELTRI

Difficile negare quelle mille lire

Non so se nessuno ha mai calcolato quanto renda l'accattonaggio. Certamente molti miliardi. Oltre agli zingari, sempre più numerosi, ci sono tante altre persone che si dedicano a questa attività lucrosa e poco faticosa. Sono coloro che vivono a spese della società tendendo la mano come se fare l'accattone fosse un mestiere qualsiasi. Con il pretesto di guerre, rivoluzioni e cambiamenti di regime ce ne sono di ogni nazionalità.

Ti allungano il piattino all'ingresso delle chiese, dei cimiteri, degli ospedali. In treno, quando è fermo in stazione, tale il giovane che chiede le mille lire (non meno altrimenti si offenderebbe). Lo stesso accade se siamo in attesa nella sala d'aspetto. Nei sottopassaggi orchestrine, cantanti e singoli suonatori accompagnati da cani o senza cani sono in agguato. Ai semafori finti profughi, lavavetri e zingari sono alla caccia delle solite mille. I negozi sono particolarmente presi di mira da un numero imprecisato di elemosinanti. Quando, in altri tempi, si aveva il pudore della miseria, anche la legge reprimeva l'accattonaggio. Oggi non ci si vergogna più, non si arrossisce, anzi si tengono gli occhi bassi. Ma con insistenza, non arroganza e tramite con umiltà si pretende di vivere col frutto del lavoro altrui.

Alessandro Falugi, Arezzo

Devo fare una pubblica confessione. La mattina quando sono appena uscito di casa e in auto sto andando al lavoro incontro ai semafori tre o quattro accattoni, i soliti. Sono, quando di bell'aspetto, immagino di buona salute e di non capire perché chiedano l'elemosina anziché dedicarsi a una qualsiasi attività, magari in nero, visto che per molti stranieri è difficile ottenere il permesso di soggiorno. Nonostante questo, non sempre riesco ad essere coerente e a metter in tasca, estrarre mille lire eccetera. Davanti a un questuante provo imbarazzo per lui; mi cosa sostenere il suo sguardo e cedo. Sgancio per togliermi un fastidio. Ci sono giorni in cui sono di cattivo umore e allora, dopo aver sganciato una volta, due volte, la terza sono abbastanza nervoso per pigiare il piede sull'acceleratore e andarmene senza guardare l'accattone.

Ci sono poi forme di violenza più esplicite. Mi è capitato spesso che mi lavassero, anzi sporcassero il parabrez-

za nonostante i miei divieti. Che fare in simili casi? Qualcuno suggerisce di affettare un gran sorriso, ringraziare con enfasi e allontanarsi lasciando sul posto una nuvo-

letta di fumo. Non ne sarei mai capace. Mi incavolo, protesto, ma alla fine sborso. Mi sento preso in giro. Tuttavia sborso. So che la miseria organizzata è un'industria che sfrutta anche i minori, altro che fabbriche orientali di palloni. E so ancor meglio che regalare una banconota a un bambetto significa condannarlo a quel «mestiere» e giustificare, in un certo senso, il padre o la madre che lo costringono a farlo.

Datemi del cretino finché vi pare, però non ce la faccio a elaborare questi bei ragionamenti quando sarebbe necessario. Non sopporto gli occhi delusi e severi di un bambino al quale si rifiuta qualcosa. E pago la tassa alla mia debolezza.

Lei non ha torto, signor Alessandro, bisognerebbe reagire. Bisognerebbe che la legge... Bisognerebbe che le forze dell'ordine risalissero ai genitori dei piccoli buttati sulla strada per soldi. Bisognerebbe, bisognerebbe... E chi fa?

v. f.

Una ragazza tedesca e la futura suocera gelosa

Sono una ragazza tedesca e da un po' vivo in Italia dove ho anche trovato un fidanzato. Finora lui non mi ha presentata a casa sua perché la madre è molto gelosa delle ragazze del figlio e, lui stesso mi ha confessato, ogni volta che le porta a casa succedono tragedie. Essendo io una straniera credo che la situazione questa volta potrebbe anche essere peggiore. Inutile dirle che la cosa mi fa molto soffrire. Crede ci sia una «cura» per la gelosia di questa futura suocera?

C.A., Napoli

Se il fidanzato pensa davvero che vi sposerete, prima le fa conoscere la «suocera» e meglio è. Cerchi d'incantarla, non ci vada prevenuta.

Illustra il sistema scolastico del tuo Paese.

Spunti per la conversazione...

Nel tuo Paese si legge molto? --

Qual è il mezzo più diffuso per l'informazione? ----------------------

Quale rapporto hai con la televisione? -------------------------------

----

Il problema delle pensioni esiste anche nel tuo Paese? ---------------

Sai come funziona nel tuo Paese l'assistenza sanitaria? --------------

Nel tuo Paese è più diffusa la convivenza o il matrimonio? ----------

Si possono definire emancipate le donne nel tuo Paese? -------------

Da quante persone è formata la famiglia media? --------------------

Immagina il tuo matrimonio e descrivilo usando queste parole:

chiesa - municipio - parenti - amici - cena - confetti - velo - sposo - addobbo - corredo - musica - bomboniere - regali - viaggio di nozze - damigelle - fede - abito da sposa - strascico - inviti - testimone - ristorante

----

GLI ITALIANI E LO SPORT

LO sport in Italia ha un Re: si chiama calcio. Vicino a lui abbiamo l'automobilismo e il motociclismo amatissimi dai giovani. Lo sportivo italiano tradizionale è uno sportivo sedentario che vive lo sport tramite la televisione senza praticarlo direttamente, ma ormai anche i più pigri stanno cambiando. È famosa nel mondo la grande tradizione italiana del nuoto, del canottaggio, della scherma.

A livello di massa si pratica lo sci, il ciclismo, il tennis. Più esclusivi e costosi l'equitazione, la vela, il golf e le immersioni. Molti italiani amano passare i giorni delle feste organizzando gite attraverso i boschi, magari a cavallo o in bicicletta, sui fiumi cimentandosi con canoe e al mare affrontando, i venti tirando cime e vele. Poi c'è la schiera dei "palestrati" ossia quelli che passano ore e ore a fare ginnastica e a sollevare pesi per esibire un corpo muscoloso e perfetto.

 Collegare le parole relative allo stesso sport:

Maneggio	Canoa
Fioretto	Vela
Pagaia	Palestra
Cima	Cavallo
Ginnastica	Scherma
Pallone	Golf
Mazza	Casco
Motocicletta	Calcio
Palla	Pattini
Ghiaccio	Tennis
Racchette	Canestro
Sci	Bombole
Muta	Scarponi

LA PREGHIERA DEL CALCIATORE

Signore,
cosa c'è nel pallone che mi attira tanto?
Mia madre dice che se amassi i libri come il
pallone, farei due anni di scuola in uno.
Ci passo insieme le ore.
Lo inseguo, lo anticipo, lo colpisco di tacco,
di punta, col ginocchio, con la testa,
lo imprigiono fra le braccia.
Con gli amici e da solo, sul marciapiede
e nel campetto, nel corridoio di casa,
quando mio padre non si accorge:
non mi stanco mai di stare con lui.
Signore, cosa c'è in questa sfera di cuoio
che mi attira tanto?
Forse il desiderio di emergere, di essere
protagonista, di distinguermi dagli altri?
Forse la voglia di superare gli ostacoli della vita con la stessa
facilità con cui i miei piedi comandano il pallone?
Forse è proprio questa, Signore, la magia del pallone!
Quanta fatica con i genitori, con gli amici, con i professori...
Invece il pallone non mi dice mai di no.
Con lui immagino dribbling, tackle, tunnel, portieri battuti, folle che urlano il
mio nome successo e ricchezza.
Sarebbe bello, Signore, se la vita fosse
come il mio pallone!
Sarebbe bello...
Però capisco Signore, che non può essere così.
Ieri il mio pallone ha battuto contro un chiodo e si è sgonfiato in un attimo,
perdendo ogni magia.
Sarebbe davvero brutto, Signore, se la mia vita fosse come un pallone
che può sgonfiarsi in un attimo. Signore aiutami
ad amare la mia vita di ogni giorno dove tutto richiede impegno e fatica
ma dove tutto diventa un tesoro
che non andrà mai perduto.

I DIALETTI E LE MINORANZE LINGUISTICHE

I n Italia vivono circa 2.500.000 persone che parlano una lingua diversa dall'italiano. Non si tratta di stranieri che vivono nel nostro paese, ma di minoranze etniche caratterizzate dalla comunanza di lingua e cultura che hanno saputo conservare nel tempo. Quali sono e dove vivono queste minoranze etniche? Circa 400.000 persone parlano la lingua francese e vivono quasi tutte in valle d'Aosta e sulle Alpi piemontesi. Parlano il francese o il provenzale, detto anche occitano, che era la lingua parlata nel medioevo nella Francia meridionale. Una minoranza ladina vive nelle zone dolomitiche. L'isolamento geografico della popolazione ha permesso a questa lingua, che deriva direttamente dal latino, di sopravvivere nei secoli.

Gli italiani che parlano sloveno vivono in Friuli. Qui si trova la valle Canale, la più poliglotta d'Italia perché si parla, tedesco, italiano, sloveno, friulano.

La minoranza di lingua tedesca è di 500.000 persone e vive in Alto Adige in provincia di Bolzano. L'Abruzzo, la Campania, la Calabria, la Sicilia, la Puglia, la Basilicata sono punteggiate da villaggi dove 200.000 persone parlano albanese. Sono i discendenti di braccianti e mercenari che in varie epoche si sono stabiliti in queste regioni. In Puglia e in Calabria 30.000 italiani parlano ancora greco. In Sardegna, nell'attuale Alghero che nel sec. XIV è stata occupata dai Catalani, si parla questa lingua. Da considerare vere e proprie lingue e non dialetti, sono il sardo e il friulano che molti ragazzi apprendono a scuola. Nella nostra Costituzione così decreta l'articolo 6: "*La Repubblica tutela con apposite norme le minoranze linguistiche*".

CURIOSITÀ

 Il dialetto sardo

Lingua o dialetto? Oggi si tende ad usare la denominazione di lingua per il sardo che viene considerata neolatina. Sono esempi di ben conservata latinità alcune parole come: ACHINA per uva, COLOVRA dal latino colubra per serpente, DOMU dal latino domus per casa.

Rispondi alle seguenti domande:

Ci sono minoranze linguistiche nel tuo Paese? ....

Se ci sono quali caratteristiche hanno? ....

....

Quali dialetti italiani conosci? ....

LA REPUBBLICA DI SAN MARINO

Nella parte sud orientale della pianura padana, al confine tra Marche ed Emilia Romagna, sulle pendici del monte Titano (750 m.) si trova San Marino, piccola e antica repubblica di soli 60 km quadrati.
Secondo la tradizione sarebbe stata fondata al principio del IV sec. d.C. da Marino, uno scalpellino sfuggito alle persecuzioni contro i cristiani. Fu libero comune già nel sec. XI. Attualmente la repubblica conserva l'ordinamento politico e le stesse caratteristiche che le hanno permesso di mantenersi indipendente nel corso dei secoli.
Il governo è costituito da due capitani reggenti che vengono eletti dal Consiglio Grande. I rapporti con l'Italia sono molto stretti, la moneta corrente è quella italiana così come la lingua ufficiale, anche se vengono coniate monete speciali ed emessi francobolli per la gioia dei collezionisti.

LO STATO DELLA CITTÀ DEL VATICANO

Questo è certamente lo stato più piccolo del mondo, misura appena 0,44 km quadrati.
La Chiesa cattolica ha qui la sua sede principale. La storia ne fissa la data di nascita all'11 febbraio 1929, giorno della firma del trattato fra la S. Sede e lo Stato italiano. Il capo supremo dello Stato è il Sommo Pontefice che è anche capo della Chiesa Cattolica Apostolica Romana. La sua difesa viene tutelata da un caratteristico corpo di armati: la guardia svizzera che indossa ancora la particolare uniforme disegnata da Michelangelo e Raffaello. Questo corpo è formato da circa un centinaio di cittadini cattolici di nazionalità svizzera. Risorse importantissime di questo stato sono le monete ed i francobolli da collezionismo. Possiede anche una centrale elettrica, una stazione radio, una stazione ferroviaria ed un importante quotidiano: «L'Osservatore Romano».

CURIOSITÀ

 Nella Costituzione italiana ci sono appositi articoli che regolano i rapporti fra Stato e Chiesa:

ART. 7 – Lo Stato e la Chiesa cattolica sono, ciascuno nel proprio ordine, indipendenti e sovrani. I loro rapporti sono regolati da un Concordato Lateranense del 18 febbraio 1984. Le modificazioni dei patti, accettate dalle parti, non richiedono procedimento di revisione costituzionale.

ART. 8 – Tutte le confessioni religiose sono ugalmente libere davanti alla legge.
Le confessioni religiose diverse da quella cattolica hanno diritto di organizzarsi secondo i propri statuti, purché non contrastino con l'ordinamento giuridico italiano. I loro rapporti con lo Stato sono regolati per legge sulla base di intese con le relative rappresentanze...

Prova a spiegare il significato delle seguenti parole:

Agnostico ....
....

Ateo ....
....

Cattolico ....
....

Protestante ....
....

Laico ....
....

Religioso, secolare ....

L'ORDINAMENTO DELLO STATO

dott.ssa Barbara Pirisinu

Il 10 giugno del 1946, dopo un referendum in cui votarono tutti i cittadini, comprese le donne che votavano per la prima volta, si proclamò la Repubblica Italiana. Per poche migliaia di voti, terminò la monarchia che aveva guidato lo Stato dal 1861, anno della creazione dell'unità d'Italia. L'Assemblea costituente, elaborò la nuova Costituzione che entrò in vigore il 1 gennaio 1948. L'istituzione fondamentale della Repubblica è IL PARLAMENTO che esercita FUNZIONE LEGISLATIVA ed è composto da due camere: la Camera dei Deputati e la Camera dei Senatori. La prima che ha sede a Roma, a Montecitorio è composta da 630 membri. Occorrono 18 anni di età per votare e 25 anni per essere eletti. Il Senato, che ha sede a palazzo Madama, è composto invece da 315 membri a cui si aggiungono i Senatori a vita, ossia gli ex Presidenti della Repubblica e 5 cittadini nominati dal capo dello Stato per altissimi meriti.

Possono eleggere i Senatori solamente i cittadini che hanno 25 anni e sono eleggibili solo coloro che hanno compiuto 40 anni. Il voto è libero e segreto. Le camere restano in carica cinque anni.

IL POTERE ESECUTIVO è in mano al GOVERNO che esercita funzione amministrativa e determina l'indirizzo politico, è formato dal Presidente del Consiglio e dai Ministri ed è responsabile dinanzi al Parlamento di cui deve ottenere la fiducia.

IL POTERE GIUDIZIARIO è delegato alla MAGISTRATURA che opera tramite i giudici. L'organo più importante è Il Consiglio Superiore della Magistratura.

IL PRESIDENTE DELLA REPUBBLICA rimane in carica per 7 anni, rappresenta l'unità nazionale, nomina il presidente del Consiglio dei Ministri e, su proposta di questo, i Ministri stessi.

Il territorio nazionale è diviso in 20 regioni di cui cinque a Statuto speciale (Valle D'Aosta, Trentino-Alto Adige, Friuli-Venezia Giulia, Sicilia, Sardegna).

Le regioni sono articolate in Province e Comuni ed hanno autonomia amministrativa in alcuni settori.

Questo sistema viene considerato superato da alcune nuove forze politiche come la Lega Nord che chiedono un sistema amministrativo federale.

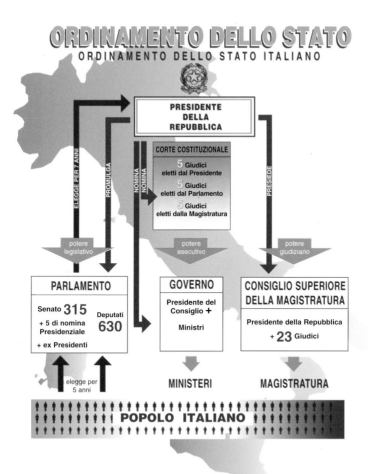

ORDINAMENTO DELLO STATO
ORDINAMENTO DELLO STATO ITALIANO

CURIOSITÀ

 La Costituzione italiana – Principi fondamentali

ART. 1 – L'Italia è una Repubblica democratica fondata sul lavoro. La sovranità appartiene al popolo che la esercita nelle forme e nei limiti della Costituzione.

ART. 2 – La Repubblica riconosce e garantisce i diritti inviolabili dell'uomo, sia come singolo sia nelle formazioni sociali ove si svolge la sua personalità e richiede l'adempimento dei doveri inderogabili di solidarietà politica, economica e sociale.

ART. 3 – Tutti i cittadini hanno pari dignità sociale e sono uguali davanti alla legge, senza distinzioni di sesso, di razza, di lingua, di religione di opinioni politiche, di condizioni sociali e personali. È compito della Repubblica rimuovere gli ostacoli di ordine economico e sociale che, limitando di fatto la libertà e l'uguaglianza dei cittadini, impediscono il pieno sviluppo della persona umana e l'effettiva partecipazione di tutti i lavoratori all'organizzazione politica, economica e sociale del paese.

ART. 4 – La Repubblica riconosce a tutti i cittadini il diritto al lavoro e promuove le condizioni che rendono effettivo questo diritto. Ogni cittadino ha il dovere di svolgere, secondo le proprie possibilità e la propria scelta, un'attività o una funzione che concorra al progresso materiale o spirituale della società.

ART. 5 – La Repubblica, una e indivisibile, riconosce e promuove le autonomie locali, attua nei servizi che dipendono dallo Stato il più ampio decentramento amministrativo; adegua i principi ed i metodi della sua legislazione alle esigenze dell'autonomia e del decentramento.

ART. 10 – L'ordinamento giuridico italiano si conforma alle norme del diritto internazionale generalmente riconosciute. La condizione giuridica dello straniero è regolata dalla legge in conformità alle norme e ai trattati internazionali.

Lo straniero, al quale sia impedito nel suo paese l'effettivo esercizio delle libertà democratiche garantite dalla Costituzione italiana, ha diritto di asilo nel territorio della Repubblica, secondo le condizioni stabilite dalla legge. Non è ammessa l'estradizione dello straniero per reati politici.

ART. 11 – L'Italia ripudia la guerra come strumento di offesa alla libertà degli altri popoli e come mezzo di risoluzione delle controversie internazionali. Consente, in condizioni di parità con gli altri Stati, delle limitazioni di sovranità necessarie ad un ordinamento che assicuri la pace e la giustizia fra le nazioni; promuove e favorisce le organizzazioni internazionali rivolte a tale scopo.

Prova a descrivere l'ordinamento e gli organismi politici del tuo Paese ed i principi che ne caratterizzano la Costituzione:

FESTE E TRADIZIONI del prof. Piero Calmanti

Nei dipinti dei grandi pittori italiani e stranieri dei secoli XVII e XIX, nei diari di viaggio di celebri scrittori di ogni parte d'Europa, il folclore italiano occupa un posto di grande rilievo accanto alle descrizioni di paesaggi, monumenti, chiese, piazze.

Ogni anno, da primavera ad autunno, in tantissimi paesi e città si festeggiano ricorrenze, rievocazioni in costume, sagre e palii.

Come mai?

La risposta è complessa, ma è possibile individuare le cause principali che sono all'origine del fenomeno. La variegata conformazione del territorio, lo sviluppo di civiltà e culture diverse in oltre due millenni, l'individualismo tipico italiano hanno fatto sì che si formassero tanti piccoli stati in perenne rivalità fra loro. Nel periodo dei Comuni (sec.XI-XIII) e delle Signorie (sec. XIV-XVI) i governanti delle città affidavano ai più famosi pittori, scultori e architetti dell'epoca la realizzazione di meravigliose opere d'arte per mostrare con orgoglio la propria potenza economica e politica e per suscitare l'ammirazione e l'invidia degli altri governatori limitrofi.

Questo atteggiamento ha dato vita a forme di campanilismo che spesso è stato causa di scontri armati, anche per motivi di scarsa importanza. Oggi che la realtà sociale è completamente mutata si mantiene e si ravviva il legame con quel glorioso passato con feste e stupende rievocazioni. Si rivive così, almeno per qualche giorno, l'atmosfera di un avvenimento o di un modo di vivere che il tempo ha arricchito di contorni magici. Queste feste paesane favoriscono l'aggregazione e rafforzano il legame di appartenenza allo stesso ambiente, alle stesse tradizioni. Per comprendere, quindi, il vero autentico significato non basta l'osservazione ammirata ma fugace del momento culminante, ma occorre una lettura attenta dell'origine storica e delle fasi di preparazione che coinvolgono emotivamente i protagonisti e tutta la comunità.

IL PALIO DI SIENA

" Nell'entrone (si chiama proprio così) i rumori della Piazza sono ovattati, arriva solo un brusio. Poi quando monti a cavallo e ti affacci sei travolto. È come un'onda di colori, di grida e di caldo che ti sommerge...".

Così Silvano Vigni, detto Bastiano, fantino del Palio di Siena, racconta il lunghissimo momento che precede l'inizio del volo, lungo tre interminabili giri. Ma anche chi a cavallo non percorrerà mai la conchiglia di Piazza del Campo può capire la grandissima emozione quando, verso le sette di sera, il campanone smette di suonare, le voci tacciono e la città cade in un silenzio assoluto in attesa che lo scoppio del mortaretto annunci l'uscita dall'entrone del Palazzo del Comune dei dieci cavalieri, detti anche i dieci assassini. Per vincere un Palio ci vogliono molti fattori favorevoli.

Avere dal destino un cavallo veloce (il cavallo non si sceglie ma si ha per sorteggio), sapersi muovere nel gioco delle alleanze e dei tradimenti (escluso vendersi alla contrada nemica), avere un fantino abile, coraggioso e forte di gambe. Dice un vecchio fantino "per la piazza occorrono cuore, fegato e garretti, ma senza la gioventù e la miseria è difficile combinare qualcosa di buono". Le facce degli assassini sono tutte belle e cattive. Spesso sono sardi o toscani di maremma. I fantini rischiano molto durante una corsa. Cavalcano a pelo senza sella, le nerbate dell'avversario sono ammesse. Bisogna anche affrontare l'ira dei contradaioli alla fine della corsa se non sono stati soddisfatti e spesso è meglio fuggire in fretta. Il Palio è duro ma è anche ricco, un Palio vinto può valere più 250 mila euro. A guadagnare di più è stato fino ad oggi Andrea de Gortes, detto Aceto, che ha vinto per 14 volte.

Qualche volta i cavalli del Palio muoiono in Piazza durante la corsa ed è una tragedia per tutti i senesi. Il 16 agosto del 1998 furono in due, Penna Bianca e Tuareg, a spezzarsi le gambe nella terribile discesa di San Martino. Però il pericolo rientra nel conto per gli uomini e per gli animali e non bisogna dimenticare che il Palio non è una corsa di cavalli ma una metafora della vita.

CURIOSITÀ

La Maremma toscana
È una parte della Toscana lungo il mare, ancora intatta nella sua selvaggia bellezza naturale dove vengono allevati cavalli e bestiame dai "butteri" che sono appunto coloro che se ne occupano.

Le contrade
Sono quartieri storici della città, ognuno dei quali è rappresentato da un cavallo e un fantino nella corsa del Palio. Quelle che gareggiano nel Palio sono: AQUILA, BRUCO, CIVETTA, CHIOCCIOLA, DRAGO, GIRAFFA, ISTRICE, LEOCORNO, LUPA, NICCHIO, OCA, ONDA, PANTERA, SELVA, TARTUCA, TORRE, VALDIMONTONE.

Il Palazzo del Comune
Da non perdere a Siena l'interno del Palazzo del Comune dove è possibile ammirare l'affresco enorme di Guido Riccio da Fogliano di Simone Martini e la serie di affreschi sul "Buon governo" e "Il Cattivo governo" di Ambrogio Lorenzetti.

Il Panforte
È il dolce più famoso di Siena. È una specie di torta asciutta a base di cacao, mandorle, canditi e spezie. La pasticceria più nota a Siena si chiama "Nannini" che appartiene alla famiglia della nota cantante Gianna Nannini.

Spiega il significato delle seguenti parole ed espressioni con esempi:

Entrone ....

Ovattato ....

Brusio ....

Interminabile ....

Assassino ....

Occorre cuore ....

Occorre fegato ....

Occorrono garretti ....

Cavalcare a pelo ....

La metafora ....

Racconta in sintesi una festa che tu conosci e puoi descrivere.

IN CUCINA
REGIONE PER REGIONE FRA I SAPORI ITALIANI

Fino a mezzo secolo fa la gastronomia italiana era ben distinta per regioni. Oggi gli scambi di abitudini e di prodotti rendono più anonima la nostra cucina spesso identificata in luoghi comuni come pizza, pasta e pomodoro. Vogliamo tentare di riscoprire insieme le autentiche fisionomie regionali della gastronomia italiana?

Piemonte e Valle d'Aosta: il vino e il tartufo bianco impreziosiscono questa cucina insieme alla "fontina" fusa, formaggio tipico valdostano, e alla "bagnacauda" a base di verdure. Lo spumante e un buon Barbera non possono mancare.

Liguria: trionfano pesce e verdure. La "torta pasqualina" con carciofi e bietole è una leccornia insieme al notissimo "pesto".

Lombardia: il grande uso di panna e mascarpone è legato al fatto che qui si producono i formaggi migliori: il gorgonzola, il grana, il taleggio ecc. I re della tavola sono il "risotto allo zafferano" e "l'osso buco" insieme alla "cotoletta alla milanese" e al "panettone".

Veneto e Friuli: "risi e bisi", ossia risotto con piselli, e "carpaccio" cioé carne cruda con insalata e formaggio, sono apprezzati quanto le famose polente e il baccalà. Il primato dei vini va al Pinot e al Tocai.

Emilia Romagna: la cucina ha un carattere esuberante come il Lambrusco e il Sangiovese, i suoi vini più noti. È un trionfo di primi piatti, dai tortellini alle lasagne, alla pasta al forno, alle tagliatelle condite con sugo di carne.

Toscana e Umbria: forse è la cucina più genuina con la sua famosa "bistecca alla fiorentina", cotta alla brace, "la ribollita" a base di verdure, il tartufo nero, le carni di agnello e maiale.

Marche, Lazio, Abruzzo e Molise: la cucina è ricca di primi piatti dal condimento spesso piccante. Famosi gli spaghetti: "all'amatriciana", "alla carbonara", "cacio e pepe", "aglio, olio e peperoncino", i fritti di verdure e cervello e tutti i piatti di pesce.

Campania: spaghetti, pizza, mozzarelle di bufala e pomodori la fanno da padroni in questa regione insieme ai dolci, alla "pastiera", ai "babà" e alle "sfogliatelle".

Puglia: terra ricca di profumi, di verdure, di olio e vini. Famose le "orecchiette con cime di rapa".

Calabria e Basilicata: verdure, pasta e peperoni. Inimitabili i "pasticci di melanzane".

Sicilia: la gastronomia siciliana ha ereditato dalla cucina araba l'arte dei dolci: i cannoli, i dolci di marzapane a base di miele e mandorle e dalla cucina mediterranea l'uso di pesce e verdure. La "pasta con le sarde" è una specialità eslusiva di questa terra.

Sardegna: è famosa "la carta da musica" è un pane particolare e sottilissimo con cui si fanno molti piatti come il "pane carasau o frattau". Il "porcetto", un maialino da latte condito con erbe, è cotto secondo la tradizione sotto terra ed è insieme all'agnello un piatto molto prelibato.

Elenca quali cibi puoi friggere, soffriggere, bollire, arrostire, fondere, marinare:

Una ricetta:

SALSA AL TARTUFO

Il prelibato tartufo nero dell'Umbria a differenza del bianco,
ha bisogno della cottura per raggiungere il massimo aroma.
Questa salsa è ottima per spaghetti o bruschette.

Ingredienti per 4 persone: 1 tartufo, mezzo bicchiere di olio, 1 acciuga.

"Pulite i tartufi con uno spazzolino, lavateli, asciugateli e tritateli finemente.
In un pentolino fate scaldare appena mezzo bicchiere di buon olio di oliva.
Munitevi di un acciuga spezzettata, lasciatela sciogliere (senza far soffriggere) e,
fuori dal fuoco, unite il tartufo.
Mescolate bene e rimettete di nuovo il pentolino su fiamma bassissima
per un minuto".

CIVILTÀ ITALIANA

GIANFRANCO VISSANI

È considerato il guru della cucina italiana e conteso dai mass media. Oggi la ristorazione italiana ha il nome di Gianfranco Vissani. Umbro verace, accoglie in un magico ambiente alle porte di Orvieto, lungo il lago di Corbara i nomi più esclusivi della finanza, della politica e dello spettacolo con grande semplicità e cordialità. È una tappa obbligata per gli amanti della cucina nel senso più profondo, per coloro che amano non abbuffarsi ma gustare gli aromi e i sapori della nostra terra. Essere ammessi ai suoi corsi di cucina significa entrare nell'Olimpo della raffinatezza culinaria e apprendere un'arte antica. Con la sua consueta affabilità ci ha concesso questa intervista.

L'INTERVISTA

Sig. Vissani quali sono le caratteristiche di una buona cucina?
«La cucina di oggi deve basarsi su sapori freschi, leggeri e su cotture rapide che lascino intatti aromi e profumi».
E quali ingredienti preferisce?
«Gli ingredienti che preferisco sono vegetali, pesci e crostacei, non dobbiamo più eccedere nell'uso della carne come si faceva in passato. Inoltre dobbiamo sempre scegliere prodotti di qualità. La materia prima è importantissima in cucina, non si possono preparare buoni piatti con ingredienti scadenti».
Cosa pensa della cucina umbra in particolare?
«La nostra cucina regionale è una riserva inestimabile di sapori e profumi, un patrimonio culturale che va rivisitato e reinterpretato secondo gli attuali canoni del gusto, ma che è una base imprescindibile per la creazione di una nuova grande cucina».
Lei tiene anche dei corsi di cucina, cosa consiglia ai suoi allievi?
«È vero, da anni tengo corsi e lezioni di cucina e sono solito ripetere ai miei allievi che nel nostro campo la tecnica è francese, ma i sapori sono italiani.
Per diversi secoli infatti la Francia ha sviluppato presso le corti e le ricche casate nobili e borghesi, una cucina caratterizzata da elaborati procedimenti tecnici in cui però prevalevano alcuni sapori come la panna, il burro e i concentrati di carne. Sono preparazioni che ancora oggi figurano nei menù della cucina internazionale e sono a mio avviso per la maggior parte completamente superate».

Seguendo l'esempio della ricetta che hai letto prova a scriverne una:

LA MUSICA CLASSICA

M usica è una parola di origine greca e significa "arte delle Muse". In questo i romani si ispirarono alla Grecia e agli Etruschi e l'arpa era sicuramente lo strumento più diffuso. Durante il Medioevo la musica era legata alla religione e la voce umana era considerata lo strumento donato da Dio all'uomo e quindi il mezzo più giusto per cantarne le lodi. Nel Rinascimento dal sacro si passa al profano con la nuova musica polifonica, cioé un canto a più voci, presente nella vita di corte per allietare le feste. In seguito la musica fece parte dell'istruzione del giova-

ne aristocratico. Gli strumenti erano: l'organo, il liuto, l'arpa, il flauto fino ad arrivare al pianoforte strumento che meglio rappresenta l'800. A testimonianza dell'amore per questa arte in Italia abbiamo grandi musicisti a partire da Vivaldi, per giungere a Rossini, Bellini, Doninzetti, Verdi, Mascagni, Puccini. Infine nella musica del '900 era presente un'ampia varietà di tendenze, indice di vivacità e dinamismo come conseguenza dell'evolversi della società, delle nuove tecnologie a contatto di esperienze musicali non solo europee.

CURIOSITÀ

! **Gioacchino Rossini, Pesaro 1792-1868**
Rossini spaziò con grande maestria in tutti i campi del melodramma sia in quello serio, sia in quello comico. Il pregio principale della sua musica è la grande immediatezza che la rende fruibile da tutto il pubblico. I personaggi delle sue opere sono ricchi di grande comunicativa e spontaneità e musicalmente caratterizzati da ritmi e melodie. La sua opera più conosciuta è "Il barbiere di Siviglia".

! **Giacomo Puccini, Lucca 1858-1924**
La grande efficacia e immediatezza musicale pucciniana è dovuta all'uso di accorgimenti tecnici originali come i personaggi che sembra parlino invece di cantare.
Le sue opere principali sono: Boheme, Tosca, Turandot, Madame Butterfly.

! **L'operetta**
La parola "operetta" indica una piccola opera, una sorta di melodramma nel quale alcune parti sono recitate. Questo genere musicale nasce verso la metà dell'Ottocento. Dall'operetta prese spunto in America il "Musical".

Spunti per la conversazione...

Quali strumenti musicali conosci? --

Ne suoni qualcuno? --

Sapresti illustrare gli elementi che compongono un'orchestra? -----------------------

----

CIVILTÀ ITALIANA

LA MUSICA LEGGERA

La tradizione della musica italiana è legata al genere melodico. Da Claudio Villa fino a Peppino di Capri e Gino Paoli c'è una lunga schiera di cantanti testimoni di questo genere. Alla fine degli anni '50, Domenico Modugno, con la sua "Volare", ha portato un'aria di modernità e dissacrazione nel mondo della canzone e Adriano Celentano ha proseguito la sua opera. Oggi sono molti i cantanti italiani famosi nel mondo, bravi e amati dai giovani. Vogliamo però ricordare fra i più grandi, fra coloro che sono destinati a sopravvivere aldilà delle mode passeggere: Mina, già nota anche all'estero, e un altro grande artista al quale le musica italiana deve molto e che forse fuori dall'Italia non è molto conosciuto: Lucio Battisti.

LUCIO BATTISTI

È stato il più grande, un cantante leggendario passato attraverso i mutamenti della nostra società con intelligenza, ostinazione e passione. La sua voce bassa, a volte roca, a volte limpida e sottile entra direttamente nell'anima. Le sue canzoni hanno fatto da sfondo alle vicissitudini e agli amori di tre generazioni. Ancora oggi i ragazzini intonano a memoria "La canzone del sole" quando consumati i testi di idoli più effimeri, si rifugiano nelle ritmiche note di Lucio. È morto a 55 anni il 9 settembre del 1998 in punta di piedi, come ha vissuto lo strepitoso successo lontano da schermi e giornali. Un orso, un timido, un egoista? Forse un po' di tutto ma sicuramente un mito. Alla sua morte mai si era visto tanto dolore. Le piazze e le strade italiane sono state invase da folle e concerti in suo onore, e tutti, dai più prestigiosi rappresentanti del mondo politico ed economico d'Italia al più anonimo cittadino, si sono lasciati sfuggire parole di grande emozione e riconoscenza.

 Scegli l'aggettivo esatto:

La voce di Battisti era	incredibile abile inimitabile
Le sue canzoni hanno fatto da	tonfo fondo sfondo
Alla sua morte si è vista	costernazione contusione confusione
Le piazze italiane sono state	invase attese prese

In queste sue frasi strappate al contesto di più interviste esce qualcosa del carattere di un personaggio difficile, pieno di paure e di autodifese.

Adolescenza:

«Ho avuto un'infanzia e un'adolescenza tristi e sono cresciuto pieno di complessi. I miei amici andavano a ballare, andavano a donne e io li osservavo e mi creavo un mondo tutto mio». (1969)

Anima:

«So di non avere una gran voce ma so anche che sono l'unica persona capace di dare un'anima alle mie canzoni». (1970)

Capelli:

«Io non mi pettino così per colpire il pubblico: mi pettino così perché mi piaccio così». (1969)

Disimpegno:

«Ma che impegnato! Io sono disimpegnato, tranquillo proprio». (1970)

Fine:

«Quando Battisti sarà finito nessuno potrà umiliarlo e beffarlo. Si potrà soltanto parlare di un professionista delle sette note che ha smesso di lavorare». (1970)

Individuo:

«Io non sono né un presuntuoso né un orso, sono soltanto un individuo che non vuole lasciarsi consumare». (1970)

Rivoluzione:

«Non sono un rivoluzionario, ma uno che ama vivere e raccontare le sue storie al di là dei luoghi comuni, delle banalità e dell'ovvio». (1976)

Scontroso:

«Una cosa terrei a precisare: io non sono affatto scontroso, anzi i miei amici, mia madre mi accusano di essere troppo giocherellone, leggero, poco serio». (1971)

Soldi/1:

«Un giorno diventerò ricchissimo». (1969)

Soldi/2:

«Vivo modestamente quasi come un tempo. E mia moglie la pensa come me. Il denaro serve solo a darmi un senso di sicurezza e a farmi lavorare tranquillo». (1978)

Successo/1:

«Il successo è un veleno. Ti costringe a diventare sospettoso, ti fa conoscere la paura, la diffidenza, il cinismo». (1970)

Successo/2:

«Mi fanno ridere i giornali che dicono che il successo non ha cambiato un individuo. Allora questa persona o è un imbecille o è un mostro, perché la persona cambia in relazione alle cose che gli succedono». (1970)

Vita:

«Per me la vita è tutta un punto interrogativo». (1972)

Voce:

«La mia non è una voce. Ma piuttosto una non voce». (1973)

Dopo aver letto questa intervista, prova a definire il carattere di questo cantante: con l'aiuto di questi aggettivi: semplice - sincero - estroverso - diffidente - forte - disincantato - sensibile - idealista - insicuro - presuntuoso

---

LE CANZONI PIU' FAMOSE

"Testo di Mogol, musica di Battisti". Per 35 anni intere generazioni di italiani hanno cantato e ballato le loro canzoni, hanno
pianto e si sono innamorati. E ancora oggi basta leggere una
frase per evocare una melodia. Provare per credere.

Nel cuore nell'anima (1967)
Nel mio cuore - nell'anima
c'è un prato verde che mai
nessuno ha calpestato, nessuno...
Se tu vorrai conoscerlo
cammina piano perché
nel mio silenzio anche un sorriso
può fare rumore.

Un'avventura (1968)
Innamorato sempre di più
in fondo all'anima per sempre tu
perché non è una promessa
ma è quel che sarà
domani e sempre, sempre vivrà.

Non è Francesca (1968)
Ti stai sbagliando chi hai visto non è
non è Francesca
Lei è sempre a casa che aspetta me
non è Francesca
non è Francesca.

Balla Linda (1968)
Occhi azzurri belli
come i suoi
Linda forse non li hai
ridi sempre non parli mai d'amore però
non sai mentire mai.

Io vivrò (senza te) (1968)
Senza te - io senza te
solo continuerò, io dormirò
mi sveglierò, camminerò
lavorerò - qualche cosa farò,
sì qualche cosa di sicuro io farò -
Piangerò - io piangerò.

Mi ritorni in mente (1969)
Mi ritorni in mente - bella come sei -
forse ancor di più - Mi ritorni in mente
dolce come mai, come non sei tu -
Un angelo caduto in volo - questo tu ora
sei in tutti i sogni miei - come ti vorrei.

Il tempo di morire (1970)
Motocicletta -
10HP - tutta cro-
mata - è tua se dici sì - mi costa una vita
- per niente la darei - ma ho il cuore
malato e so che guarirei.

Emozioni (1970)
E stringere le mani per fermare -
qualcosa che è dentro me -
ma nella mente tua non c'è -
Capire tu non puoi -
tu chiamale se vuoi - emozioni.

Acqua azzurra acqua chiara (1970)
Acqua azzurra acqua chiara - con le mani
posso finalmente bere - Nei tuoi occhi
innocenti posso ancora ritrovare -
il profumo di un amore puro - puro come
il tuo amor.

Pensieri e parole (1971)
Davanti a me c'è un'altra vita - la nostra
è già finita - e nuove notti e nuovi giorni
- cara vai o torni con me - Davanti a te ci
sono io - dammi forza mio Dio - o un altro
uomo - chiedo adesso perdono - e nuove
notti e nuovi giorni - cara non odiarmi se
puoi...

La canzone del sole (1971)
Le bionde trecce e gli occhi azzurri
e poi le tue calzette rosse
e l'innocenza sulle gote tue, due arance
ancor più rosse
e la cantina buia dove noi
respiravamo piano
e le tue corse e l'eco dei tuoi no,
oh no mi stai facendo paura.

I giardini di marzo (1972)
Che anno è - che giorno è
questo è il tempo di vivere con te
le mie mani come vedi non tremano
più e ho nell'anima - in fondo all'anima
cieli immensi e immenso amore e poi
ancora, ancora amore, amor per te.

E penso a te (1972)
Non so con chi adesso sei - non so
che cosa fai - ma so di certo a cosa
stai pensando - è troppo grande la
città - per due che come noi - non
sperano però si stan cercando.

Una donna per amico (1978)
Io mi maledico, ho scelto te, una donna, per amico
ma il mio mestiere è vivere la vita
che sia di tutti i giorni o sconosciuta.
Ti amo forte e debole compagna che qualche volte
impara e a volte insegna.

Dopo aver letto i ritornelli di queste canzoni scegli quello che preferisci e spiega perché.

Prova a ricordare il testo di una canzone che ti piace precisando:

Chi è il cantante   ---

Se è un genere melodico   ---

Quale è il ritmo   ---

Se sono belle le parole   ---

Quale timbro di voce ha il cantante   ---

Quali strumenti musicali prevalgono   ---

CIVILTÀ ITALIANA

IL CINEMA

R oma: è la sera del 20 settembre 1905, migliaia di persone assistono al film "La Presa di Roma" con cui nasce il cinema italiano. Dai primi film di soggetto storico e mitologico fino a quelli del dopoguerra, delle maggiorate e del neorealismo, il cinema ha tracciato i cambiamenti e l'evoluzione culturale italiana fotografandone le miserie, le ambizioni ed i miti. I primi quattro titoli della classifica cinematografica nel 1960 erano: "La dolce vita" di Fellini, "Rocco e i suoi fratelli" di Visconti, "La Ciociara" di De Sica e "Tutti a casa" di Comencini.
Grandi registi e grandi attori hanno contribuito allo svolgimento di questa opera.
Nomi come Totò, attore napoletano, Anna Magnani, superba interprete di "Roma città aperta", insieme a Marcello Mastroianni, Claudia Cardinale, Sofia Loren, Vittorio Gassman, Alberto Sordi e registi come Antonioni, Dino Risi hanno conquistato il grande schermo.
IL boom del cinema finì con la crisi degli anni '70 dovuta anche all'espansione della televisione. Neppure Bertolucci, autore del film "'900", che racchiude 50 anni di storia e i Fratelli Taviani, premiati a Cannes con il film "Padre padrone" o Troisi con "Il postino" e Benigni che vince l'Oscar per "La vita è bella" sono riusciti a risollevare le sorti del nostro cinema poiché il pubblico è sempre più monopolizzato da nuove forme di spettacolarità hollywoodiana.
Ma la vittoria di Nanni Moretti sempre a Cannes con "La stanza del figlio" e il successo di Muccino con "L'ultimo bacio" ci danno la speranza dell'inizio di un nuovo periodo di successi e ci piace pensare all'immagine finale del piccolo Giosué nel film di Benigni che alzando le braccia esultante grida "abbiamo vinto!" per credere che il patrimonio cinematografico non sia scomparso e che questo sia un segnale simbolico dell'inizio di una nuova era di successo.

CURIOSITÀ

 «And the Oscar goes to... Roberto!»
La notte da non dimenticare comincia così, alle ore 19,02 ora della California, con il grido felice di Sofia Loren. "La vita è bella" ha appena vinto nella categoria del miglior film straniero. O meglio, come ha detto Sofia dopo aver aperto la fatidica busta, ha vinto Roberto, che infatti salta a pié pari sullo schienale della sua poltroncina, fra le risate generali, poi corre sul palcoscenico e abbraccia la Loren, che è scoppiata a piangere per la contentezza e l'emozione.
Ed ecco che succede qualcosa di incredibile. Mentre Benigni stringe in mano l'Oscar, la platea si alza in piedi ad applaudirlo.
Una standing ovation a cui partecipano tutti, da Spielberg a Hanks, dalla Paltrow a Meryl Streep. «Che emozione!» mi dice più tardi la Loren. «Neppure il cinico più spietato può sminuire quell'incredibile manciata di secondi in cui si apre la busta con il nome del prescelto. Quando ho letto il nome di Benigni mi si è sciolto come un nodo nel cuore, ho provato una gioia enorme, come se fosse stato il mio nome».

L'ho abbracciato e gli ho detto "Ciao Pinocchio, e grazie". "Sapevo che il nomignolo gli sarebbe piaciuto. Solo di una cosa avevo paura: della mia incolumità fisica. Le sue reazioni, si sa, sono sempre imprevedibili". E infatti, appena salito sul palco, Roberto dice nel suo inglese stentato che l'Oscar non gli basta: "Voglio essere cullato dalla Loren". Ma poi la commozione prende il sopravvento. Benigni è emozionatissimo, parla a raffica: "Ringrazio i miei genitori, a Vergaio, per avermi fatto un regalo bellissimo, quello della povertà. Grazie, mamma e babbo. Rendo omaggio a tutti quelli che sono morti nei lager perché un giorno potessimo dire che la vita è bella. E poiché, come scrive Dante l'amore "move il sole e le altre stelle", dedico questo trofeo alla donna della mia vita, mia moglie Nicoletta Braschi".

SORDI E GASSMAN

Il 31 dicembre 1985, in una lunga intervista a Gassman e Sordi, Paolo Guzzanti così sintetizzava su Repubblica il significato del loro lavoro trentennale. "*I loro personaggi fanno ridere e qualche volta piangere. Non sono macchiette o pagliacci, fanno ridere perché sono l'ombra di notissimi sconosciuti, la proiezione realistica e grottesca dell'Italia che né i sondaggi, né gli psicanalisti, né gli articoli di giornali, sono in grado di mostrare. Cioè l'Italia dei palazzinari, degli opportunisti, dei corrotti e dei corruttori, dei monsignori, degli avvocatucoli, degli importantissimi falliti, dei prevedibili vigliacchi, dei mascalzoni, degli ingannati, degli onorevoli privi di onore, dei ragionieri sciagurati, dei giornalisti venduti, dei medici avidi e affaroni, dei seduttori da strada, dei militari onesti e dei venditori d'armi senza scrupoli. Una galleria affollata e piena di specchi che, senza false ipocrisie, questi mirabili attori hanno consegnato al mondo*".

MARCELLO MASTROIANNI

Mastroianni è stato il più duttile attore al servizio di grandi registi e capace di interpretare con assoluta semplicità ogni ruolo. Da solo ha contribuito a creare una varietà di personaggi che si distinguono per la dolcezza, ritratti di intellettuali, di anarchici, di sognatori, di preti, di seduttori, di imbroglioni ma sempre legati l'uno all'altro dalla compostezza tranquilla di questo generoso attore scomparso troppo presto.

SOFIA LOREN

Sofia Loren è l'ultima diva del cinema italiano. Nata a Pozzuoli, vicino a Napoli, è stata l'artefice ostinata e intelligente di una carriera costruita con disciplina e volontà. Dalla pizzaiola splendida e prorompente fino alla *Ciociara* girato non ancora trentenne, con cui ottenne l'Oscar nel 1960. Nella *Ciociara* Sofia Loren definisce un suo ideale di personaggio la cui bellezza interiore può offuscare quella fisica. In questo film incarna il ruolo della grande madre mediterranea e della donna nuova, forte, autonoma e indipendente, spinta dalla guerra ad assumere maggiore consapevolezza del suo ruolo sociale.

MONICA BELLUCCI

Nata a Città di Castello, in Umbria, rappresenta oggi la tipica bellezza mediterranea ed è attrice protagonista di film di successo come "Malena" di Giuseppe Tornatore.

Racconta un film illustrando la trama in modo sintetico descrivendo i personaggi con chiarezza. Comincia precisando:

Il titolo ....

Il regista ....

L'attore protagonista e il ruolo ....

....

Gli attori secondari ....

....

Il produttore ....

Dove si svolge ....

In quale epoca ....

Quale è la storia? ....

....

....

Scrivi il verbo che corrisponde ai seguenti nomi:

La proiezione   ....

Il seduttore   ....

La psicanalisi   ....

La corruzione   ....

Il fallimento   ....

L'interprete   ....

L'imbroglione   ....

IL TEATRO ITALIANO

Le prime manifestazioni teatrali, nel 1200, sono rappresentazioni religiose. In seguito il teatro si ispira ai grandi scrittori latini che sono troppo difficili da diffondere a livello popolare. Nasce allora il bisogno di comunicare con tutti attraverso un linguaggio semplice e soggetti divertenti. Comincia così la Commedia dell'Arte, dove gli attori, veri professionisti, improvvisano testi e battute su una trama generica. Spesso i soggetti sono una satira di vari personaggi, espressione di caratteristiche e difetti umani. Nascono le maschere come Pantalone, il ricco commerciante, o Arlecchino, il servo scaltro. Solo nel 1700, con Carlo Goldoni la commedia assume un testo ed una dignità di documento storico e sociale. Compaiono infatti nelle sue opere i personaggi di una classe sociale spesso nuova e popolare ma in grado di apprezzare l'ironia. Ricordiamo: «Le baruffe chiozzotte», «La bottega del caffè», «Arlecchino servo di due padroni». Si arriva all'Ottocento per trovare un teatro più drammatico e realista con Verga e Pirandello, autori siciliani. Mentre Verga descrive la vita semplice ma spesso drammatica nella quotidianità, Pirandello rappresenta la realtà, che condiziona gli uomini costringendoli all'ipocrisia, allo sdoppiamento delle personalità in situazioni assurde. Nel '900 l'autore più importante è certamente il napoletano Eduardo De Filippo che narra, con grande poesia, il tema semplice dei grandi eventi della vita: l'amore, i figli, la guerra e l'onestà, usando spesso il dialetto.

CURIOSITÀ

Carlo Goldoni, Venezia 1707 - Parigi 1793

La riforma del teatro in Goldoni è il tentativo di avvicinare la realtà alla scena o la scena alla realtà, con elementi fantastici, avventurosi e comici, spesso improvvisati dal personaggio maschera, che compare sempre nella commedia goldoniana. C'è sempre sulla scena un contrasto tra vecchio e nuovo ed uno sforzo per conciliare i due mondi, tra i quali pongono la loro mediazione le donne.

Luigi Pirandello, Girgenti (Agrigento) 1867 - Roma 1936

La caratteristica del teatro pirandelliano si basa su una introspezione psicologica che analizza l'individuo nelle molteplici sfaccettature del suo carattere. È infatti la frantumazione dell'io che determina la molteplicità dei personaggi, come in uno specchio rotto, dove la stessa figura si riflette per mille volte con aspetti deformati.

L'esperienza di Eduardo De Filippo, Napoli 1900 - Roma 1984

Eduardo nelle sue opere, forse meglio di ogni altro, ha interpretato lo spirito più profondo e più umano della napoletanità. Silenzioso e schivo, aveva il pudore dei sentimenti ed ha sempre evitato gli effettacci e i lustrini di cui a volte il teatro si serve. Spiegava in una intervista la prima impressione di una platea: "Ero piccolo, sbigottito. Mi trovai là da un momento all'altro. Lo spettacolo è luce, è sorpresa. Non finirà mai. Fin quando ci sarà un filo d'erba sulla terra ce ne sarà uno finto sul palcoscenico. Teatro significa vivere sul serio quello che gli altri nella vita recitano male". Spiegava il segreto della sua arte: "Io osservo continuamente, la vita porta al teatro, il teatro alla vita. L'umanità, attraverso i fatti che evolvono continuamente ci fornisce i modelli che ci meravigliano e che ci danno poi i personaggi".

Con l'aiuto dell'insegnante gli studenti possono elaborare una rappresentazione teatrale con dei brevi testi recitati da loro stessi.

REGIONI ALPINE E REGIONI DI CONFINE

D alla Valle d'Aosta al Trentino al Friuli Venezia Giulia è un susseguirsi di valli e di vette, mete degli amanti dello sci e dell'alpinismo. Regioni simili per paesaggi naturali ma diverse nella loro storia. La Valle d'Aosta legata alla Francia, il Trentino e il Friuli all'Austria e agli Asburgo. I trentini, prettamente italiani, sono uniti agli altoatesini, di lunga tradizione germanica e vivono oggi nel rispetto reciproco delle diverse tradizioni parlando l'Italiano e il tedesco. L'aspetto dei paesi è quello delle favole nordiche, con le case di legno e le facciate dipinte, fra prati e pascoli ricchi e ordinati. La Valle d'Aosta, intorno al mille, diventò feudo del conte Umberto Biancamano di Savoia che ebbe il titolo di Conte d'Aosta. La valle è oggi sede del parco nazionale del Gran Paradiso. Ci sono sulle cime moltissimi ghiacciai e una fauna rara abita i suoi boschi: ermellini, marmotte, camosci, stambecchi, lontre e volpi. A Courmayer le piste da sci sono splendide e molti turisti ci passano le vacanze.

Gli abitanti sono bilingui infatti, oltre all'italiano, parlano il francese e la Francia è collegata tramite il tunnel del Monte Bianco lungo 12 Km.

ITALO SVEVO Trieste 1861 - Treviso 1928

Nelle sue opere c'è una ricerca introspettiva e psicanalitica. I suoi personaggi sono personaggi-coscienza intorno ai quali si sviluppano sentimenti contradditori e mutevoli che a volte affondano le loro radici nel tempo perduto. Alcune opere: «Una vita», «Senilità», «La coscenza di Zeno».

DA «LA COSCIENZA DI ZENO»:

Adesso che sono qui ad analizzarmi, sono colto da un dubbio; che io forse abbia amato tanto la sigaretta per potere riversare su di essa la colpa della mia incapacità. Chissà se cessando di fumare io sarei divenuto l'uomo ideale e forte che m'aspettavo? Forse fu tale dubbio che mi legò al vizio perché è un modo comodo di vivere quello di credersi grande di una grandezza latente. Io avanzo questa ipotesi per spiegare la mia debolezza giovanile, ma senza una decisa convinzione. Adesso che sono vecchio e nessuno esige da me qualche cosa passo tuttavia da sigaretta, a proposito, a sigaretta.

Che cosa significano oggi questi propositi? Come quell'igienista vecchio descritto da Goldoni, vorrei morire sano dopo avere vissuto malato tutta la vita? Una volta, allorché studente cambiai alloggio, dovetti fare tappezzare a mie spese le pareti della stanza perché le avevo coperte di date.

Probabilmente lasciai la stanza perché era diventata il cimitero dei miei buoni propositi. Penso che la sigaretta abbia un gusto più intenso quando è l'ultima.

Anche le altre hanno un loro gusto speciale, ma meno intenso.

L'ultima acquista il suo sapore dal sentimento della vittoria su se stesso e la speranza di un prossimo futuro di forza e salute. Le altre hanno la loro importanza perché accendendole si protesta la propria libertà e il futuro di forza e di salute permane, ma va un po' più lontano.

 RIFLESSIONE GRAMMATICALE

Esamina la frase «chissà se cessando di fumare io sarei divenuto...», sostituisci il verbo cessando con la forma esplicita.

Rielaboriamo il testo:

Quale dubbio ha Zeno circa il suo amore per le sigarette? ....

....

Zeno si credeva grande? ....

....

Da vecchio continua a fumare? ....

....

Perché cambia camera? ....

....

Perché l'ultima sigaretta ha un sapore più intenso? ....

....

Spunti di conversazione:

Tu pensi che Zeno sia un debole? ....

....

È vietato fumare nei luoghi pubblici nel tuo Paese? ....

....

Sei convinto che il fumo sia nocivo per la salute? ....

....

Disegna una pubblicità contro il fumo con una frase efficace:

CURIOSITÀ

! La Fonduta

La Fonduta a base di formaggio fuso è il piatto tipico valdostano.

! I castelli valdostani

A contarli tutti sono oltre 130, ma ne sono bastati una dozzina dei più importanti per rendere celebre la valle della Dora Baltea. Queste case-fortezza sono costruite lungo il corso del fiume su alture che sovrastano l'unica via di comunicazione. Sono appartenute per la maggior parte agli Challant, nobile famiglia feudataria dei conti di Savoia che cercarono anche di portare in queste massicce dimore il gusto per le arti e i costumi gentili della vita di corte.

! Il caffè valdostano

È adatto al clima freddo degli inverni alpini. Si serve in una coppa di legno, bassa e panciuta con quattro, sei o otto beccucci. Al caffè bollente si aggiungono scorza di limone, grappa e zucchero. Si beve a tonfo ciascuno da un beccuccio.

! Il prosciutto San Daniele

San Daniele del Friuli è una piccola cittadina che si erge su di un colle sovrastante la pianura del fiume Tagliamento e dove gli abitanti oltre a conservare l'antica gentilezza delle popolazioni venete, conservano anche l'arte della stagionatura del prosciutto. Il San Daniele, questo è il nome del prosciutto, trova nel clima favorevole di questi luoghi le migliori condizioni per la sua stagionatura, che avviene in prosciuttifici con altissime finestre e feritoie attraverso le quali penetra la brezza montana.

TORINO E LA FIAT

Torino è una città molto bella fra le colline, con grandi viali e parchi, è il simbolo della città nobile e ricca. A Torino è iniziato il Risorgimento Italiano e nel Palazzo Carignano si sono insediati i primi 433 deputati del regno d'Italia. Dice lo scrittore e giornalista Enzo Biagi: "Prima i Savoia, la dinastia dei re d'Italia, dopo gli Agnelli i re della FIAT, c'è sempre stata a Torino una famiglia potente".

Oggi Torino si identifica con la FIAT. Nel 1899 la Fabbrica Italiana Automobili Torino inizia il suo cammino. Nasce come iniziativa di un gruppo di gentiluomini che, stanchi dei cavalli, vogliono esplorare le nuove strade della meccanica e fra loro c'è Giovanni Agnelli, l'amministratore della società che è convinto del futuro dell'automobile. Il primo modello è ritratto in foto con una affascinante signora con il cappello. Ha le ruote grosse quasi come quelle delle biciclette, la tromba, e può fare anche 35 km. all'ora. Ma la legge ne permette solo 6. Costa 4200 lire (pari a 2,20 euro). I primi ad acquistarla sono il Kaiser Guglielmo II e il re di Spagna. Il re d'Italia ordina 10 veicoli per il Quirinale. La grande avventura era iniziata e a continuare il cammino sarà il nipote prediletto Giovanni Agnelli III.

A Torino il sistema di vita è più duro che altrove ma la disciplina e il buonsenso dei torinesi sono famosi poiché sanno affrontare ogni esperienza con dignità e discrezione. È vero che la FIAT ha sostituito i Savoia e il patriottismo aziendale è così radicato nei torinesi che fino a qualche tempo fa nessuno osava presentarsi alla FIAT con un'auto di marca diversa. La FIAT ha dato ricchezza e impulso all'economia ma l'emigrazione di molti meridionali verso il nord, provocata dal miraggio di una vita migliore, ha creato problemi enormi che ancora oggi non sono risolti.

GIANNI AGNELLI

Era il nipote prediletto del Fondatore della FIAT Gianni Agnelli I che prevedeva per lui un grande futuro. E così è stato. Chiamato "l'avvocato" e definito da una rivista "l'ultimo signore d'Italia", ha amministrato benissimo le fortune della sua azienda ed è passato indenne attraverso bufere politiche ed economiche, facendosi perdonare dalla gente anche il fatto di avere tanti soldi e di influenzare le sorti dell'Italia nella politica e nell'economia. Il suo stile rigoroso e raffinato è stato preso a modello da molti manager. In una intervista, in occasione del centenario della fondazione della FIAT, ha dichiarato: "Io sono un uomo di questa terra di Torino che ha rappresentato la cosa più importante di questa città e ha cercato di occuparsene al meglio". È morto nel 2002.

CURIOSITÀ

! Il detto

Piemontese falso e cortese.

! Grissino e tartufo

Il grissino è un pane lungo e sottile e sembra che sia stato ordinato dal medico di corte ad un fornaio per la buona salute del piccolo duca Vittorio Amedeo II d'Aosta. I più golosi avranno sentito parlare di Alba la città del prelibato e costosissimo tartufo bianco.

! Le Langhe

Nei dintorni di Torino si trovano le suggestive zone delle Langhe e del Monferrato, famose per i paesaggi e i vini. Il Barolo, il Barbera, il Barbaresco, il Dolcetto: tutti rossi estremamente apprezzati dagli intenditori. La qualità e la bontà di questi vini è dovuta anche al clima soleggiato e umido oltre che ai vitigni che ne determinano le caratteristiche.

!  La Sindone

La Sindone, dal greco "telo di lino", è un telo lungo 4 metri nel quale è possibile vedere l'impronta di un corpo umano. Si ritiene che sia il lenzuolo funebre di Cristo ed è conservato nella cappella della Sacra Sindone, capolavoro di Guarino Guarini, architetto e genio del Barocco.

Forma frasi di senso compiuto utilizzando le seguenti parole:

Il simbolo ....

....

La dinastia ....

....

Il re ....

....

Il patriottismo ....

Il miraggio ....

L'amministratore ....

La disciplina ....

Il buonsenso ....

Il ritratto ....

Descrivi un'automobile in tutte le sue componenti:

LE CINQUE TERRE E GENOVA

C hissà quali immagini avrà conservato nel suo cuore Cristoforo Colombo allontanandosi da questa splendida costa per affrontare la grande avventura? Quante volte avrà sognato il paesaggio dove oggi sono inerpicati i pittoreschi borghi di Monterosso, Vernazza, Corniglia, Manarola, Riomaggiore, a ridosso delle spumeggianti onde e raggiungibili, un tempo solo dal mare, ora collegati anche via terra al resto della regione. La Liguria è una striscia di territorio fra le montagne e il mare, abitata da gente solida, concreta, laboriosa che sa offrire al forestiero un'accoglienza agiata. Il turismo, gli affari e la nautica sono le principali risorse. Ma il suo clima mite consente anche la coltivazione di olivi, viti e i famosi fiori su zone terrazzate ricavate faticosamente sulle alte coste. Genova, ricca repubblica marinara, più volte rivale di Venezia, patria di navigatori e musicisti come il violinista Nicolò Paganini è oggi porto commerciale di notevole importanza. Una città in certe parti monumentale e nobile in altre levantina con intricati vicoli, i "Carrugi", scale e stradine. Da qui il 5 maggio del 1860 Garibaldi, con i suoi 1000, è partito per Marsala, in Sicilia, da dove ha iniziato la sua battaglia contro i Borboni per l'indipendenza e l'Unità d'Italia.

CRISTOFORO COLOMBO

Genova, la città che vive del mare, ha scritto lapidariamente sul monumento al suo figlio, in piazza Acquaverde: "A Cristoforo Colombo, la Patria". Ma chi era in verità lo scopritore dell'America? Sicuramente un genio marinaro senza confronti, con un ambizioso progetto "Buscar el Levante por el Poniente" per raggiungere le terre di Marco Polo: le Indie, il paese dove i tetti e le strade sono lastricate d'oro. Il vescovo Las Casas nella sua "Historia de las Indias" così lo descrive. "... Era affabile e allegro nel parlare, eloquente con eleganza e irruento nei negozi; moderatamente serio con gli estranei e con i familiari gentile e piacevole, così egli poteva indurre coloro che lo incontravano ad amarlo". Forse con questo fascino e l'arte del parlare convinse alla fine la lungimirante regina Isabella di Spagna a finanziare l'impresa che lo vide salpare il 3 agosto del 1492 da Palos. Il 12 ottobre alle 2 del mattino dopo avere attraversato il "mare tenebroso" finalmente la terra. Si legge nel giornale di bordo: "Due ore dopo la mezzanotte la terra apparve ad una distanza di circa due leghe". Il giorno sbarcarono su una piccola isola la quale, nel linguaggio degli indiani, si chiamava Guanahani. Subito videro una moltitudine di gente nuda. Colombo era convinto di essere approdato nelle Indie e si mise alla ricerca dell'oro. L'isola fu chiamata San Salvador e conquistata in nome dei Re di Spagna. La grande rivoluzione era iniziata.

Scrivi delle frasi con lo stesso significato delle seguenti espressioni:

Lungimirante ....

....

Mare tenebroso ....

....

Ambizioso ....

....

Salpare ....

....

Finanziare ....

....

Approdare ....

Monumentale ....

....

Senza confronti ....

....

A ridosso ....

....

Lapidariamente ....

....

Spumeggiante ....

....

CURIOSITÀ

! Il detto

Genovese chiuso di mano ma molto cortese.

! I genovesi

Hanno la fama di essere abbastanza oculati per non dire avari. Infatti si allude a loro quando si ha a che fare con qualcuno un po' troppo parsimonioso.

! Il pesto

È il tipico condimento per la pasta in Liguria. Si fa pestando appunto in una ciotola aglio, olio, sale, pinoli e basilico ottenedo così una salsa morbida con cui si condisce la pasta.

! San Remo

Non è un caso che il primo albergo nel 1860 si chiamasse Londra. In quegli anni i gentiluomini britannici iniziarono a frequentare la riviera attirati da un clima eccezionalmente mite e dal fascino romantico del paesaggio. Dopo di loro vennero gli imperatori di Russia e di Germania seguiti dalla migliore aristocrazia europea. Tra la fine dell' 800 e la seconda guerra mondiale furono costruite ville, alberghi e il Casinò per il piacere dei giocatori d'azzardo. La floricultura ha fatto di San Remo il mercato dei fiori più importante in Italia. Ma forse tutti conoscono questa città per il Festival della canzone d'autore, una rassegna internazionale per compositori e direttori d'orchestra.

Inventa una storia utilizzando queste parole:

ieri sera - Casinò - cambiare - invitare - gettone - denaro - puntare - perdere - vincere - tavolo verde - numeri - macchinette - al verde - bere

----

MILANO

"Chi dice Milano dice Duomo, dice Madonnina". Canta una vecchia canzone tradizionale "Oh mia bela Madunina che me guardi de lassù...". La piazza del Duomo è il punto di ritrovo principale per il comizio, il concerto, il mercato dei fiori. Milano non è bella ma è singolare. C'è la Galleria definita il salotto della città con locali famosi e ritrovo di signori facoltosi e artisti. Qui si affacciano "La Rinascente" e la "Motta" simboli dell'intraprendenza lombarda. Il Ticinese è un altro quartiere interessante di questa città, popolare, vivo, lungo i navigli, con molte osterie e locali. C'è poi la Scala, il teatro più nobile in Italia, tempio della lirica e ritrovo del bel mondo, c'è via Montenapoleone, la strada della moda, del lusso dove i maggiori stilisti italiani hanno i loro negozi. Lo stile di Milano si vede nella sobrietà degli abiti e dei gesti, sempre discreti e raffinati, uno stile diverso da quello di Roma più ostentato e sgargiante. Molti si sono trasferiti e hanno fatto fortuna in questa città e le sono riconoscenti. Milano non è chiusa, non è orgogliosa, non è razzista, non è diffidente perché è leale; ti dà quello che meriti, senza chiederti di rinunciare né al tuo modo di vivere, né al tuo modo di pensare. Terun è solo un modo di dire scherzoso riferito ai meridionali. Milano è la città preferita da poeti e scrittori ed è qui che l'editoria ha due grossi nomi: Rizzoli e Mondadori. Ogni giorno ci arrivano 700.000 persone in treno e in autobus: sono i pendolari che vengono dalla periferia. Milano è anche multietnica. Ci sono oggi 150.000 extracomunitari e molti si sono inseriti con un regolare lavoro.

SILVIO BERLUSCONI

Se Agnelli è simbolo di Torino, Silvio Berlusconi lo è di Milano. Leader di Forza Italia, partito che raccoglie le forze moderate di centro destra, è un noto imprenditore nel campo della comunicazione. Oggi ha abbandonato ogni ruolo nell'amministrazione delle sue società dedicandosi esclusivamente alla politica, ha pubblicato un libro "L'Italia che ho in mente" dove illustra le sue idee per risolvere i problemi che affliggono il nostro paese. Il 13 maggio 2001 la coalizione da lui guidata ha vinto le elezioni ed è stato nominato Presidente del Consiglio dei Ministri fino al 2006.

Spiega il significato della parola coalizione:

Quali sono i partiti politici più importanti nel tuo paese:

CURIOSITÀ

 Il Panettone

Dolce natalizio così diffuso ormai in tutta Italia che molti non ne conoscono l'origine milanese e romantica. Sembra infatti che un nobile di nome Ughetto, innamorato della figlia di un fornaio, per starle vicino si sia finto garzone e abbia inventato questo dolce fatto con farina, zucchero, uova, canditi e uva passa.

La grappa

È l'unico, il vero superalcolico italiano. Si beve liscia, centellinandola o tutta d'un fiato. Quella dell'anno si beve fresca, quella invecchiata vuole la temperatura ambiente, alcuni la usano per correggere il caffè.

GIORGIO ARMANI

Giorgio Armani è il simbolo della moda italiana, indiscusso leader fra gli stilisti, amato e osannato in tutti i paesi. È nato a Piacenza e ha frequentato il liceo e la facoltà di medicina per 2 anni finché ha abbandonato l'Università per dedicarsi alla moda.

Ha fondato il suo marchio nel 1975 e da allora è stata una vera e propria marcia trionfale verso il successo e i riconoscimenti più prestigiosi, dalla laurea "honoris causa" del Royal College of Art di Londra fino al premio assegnatogli nel 1998 dal «Sole 24 Ore». Un riconoscimento assegnato alle imprese italiane che creano valore e rappresentano formule imprenditoriali di successo. Il Museo Guggenaim di New York, il 24/10/2000 ha aperto le porte ad Armani per dedicare una mostra ai suoi abiti come vere opere d'arte.

Guardando questi modelli e le caratteristiche dello stile immagina di presentare questa collezione usando i termini elencati:

sobrio - raffinato - attuale - classico - originale - completo - cappotto - blusa - miniabito - attillato - pelliccia - cintura - gonna - zebrato - tacchi a spillo - stivali

----

Scrivi in modo dettagliato quale tipo di abbigliamento sceglieresti per una festa importante o per andare al lavoro o in vacanza con l'aiuto delle parole elencate in fondo alla pagina:

Abito
lungo, corto, stretto, largo, scollato, chiuso, con spacco, trasparente, senza maniche, con maniche, gonna, giacca, sottogiacca, camicia, bustino, cravatta, farfalla, femminile, maschile, pantaloni.

Materiale
di lana, di seta, di cotone, di lino, di cachemire, materiale sintetico, di pelle.

Scarpe
mocassini, sportive, con tacco alto, pianelle, all'inglese, ciabatte, sandali.

Borsa
zaino, a tracolla, con manico, busta.

Cintura
alta, bassa, sottile, sciarpa, a catena.

Gioielli
orecchini, collana, braccialetto, anello: di perle
d'oro
d'argento
di metallo

VENEZIA

Venezia è una città dove il ritmo di vita è più lento che altrove ed è scandito dalla innata raffinatezza di abitudini antiche, di riti e di gesti. La gente si incontra nelle calli e nelle piazze o su una barca silenziosa lungo un canale. Il saluto è frequente. Lo scambio di battute e cortesie, la sosta ai caffé, anche in quelli famosi come il Florian, è tradizione. Venezia annulla il mostruoso isolamento delle automobili che ci chiudono come armature e restituisce umanità ai rapporti e alla quotidianità della vita. Il carattere dei veneziani è forte, amano l'avventura, le scoperte, "gli schei" (i soldi) e hanno un obbiettivo perenne: gli affari. Marco Polo a 17 anni imparò il cinese e partì per la grande avventura. Dire Venezia vuol dire Piazza S. Marco, la Basilica la prima Moschea che si incontra andando verso Oriente. La cupola in stile bizantino, i mosaici della facciata, gli ori, le colonne e i capitelli che i marinai della Serenissima rubarono ai templi pagani incontrati sulle loro rotte. Ma Venezia è anche una città con problemi, non ci sono più le piccole botteghe dei vecchi artigiani ed escluso il centro si sta svuotando poiché i suoi abitanti preferiscono trasferirsi sulla terraferma dove le case sono meno care. La salsedine, le maree, i motori, lo scirocco, gli sfoghi di Marghera mettono a repentaglio la sua esistenza. A Venezia rimangono ancora 400 gondolieri che hanno fatto il tirocinio per imparare perché questa barca è diversa da tutte le altre. Infatti è stretta un metro e mezzo ed è lunga 11 metri, ha il fondale piatto: è l'emblema della città. Una delle regole di chi rema è la massima discrezione se c'è una coppia a bordo.

Quali sensazioni o immagini suscita in te Venezia?

M assimo Cacciari è stato Sindaco di Venezia negli anni '90, deputato europeo e presidente della Fondazione "Teatro la Fenice di Venezia". Laureato in filosofia e ordinario di Estetica è da molti anni uno dei protagonisti del dibattito culturale italiano. Quando era Sindaco ci ha rilasciato questa intervista.

Sig. Cacciari, cosa significa essere Sindaco di questa città?

«Spesso significa fare il capo-condominio di un condominio di quasi 300.000 abitanti. Il compito primo del Sindaco di Venezia, nell'attuale situazione, è quello di guidare la realizzazione del progetto per portare Venezia in Europa quale città "Capitale" trasformandola in una sola grande città moderna e integrata con una complessa articolazione del territorio che va dal centro storico a Porto Marghera, da Mestre alla Laguna».

Quali sono i problemi più gravi che lei deve affrontare?

«In termini di obbiettivi concreti, al primo punto sta il problema della salvaguardia fisica di Venezia e del riequilibrio idraulico della laguna, della rivitalizzazione sociale ed economica della città insulare oltre al contributo dell'economia legata al turismo. Altrettanto importante è il rilancio della zona industriale nel rispetto della difesa dell'ambiente: ancora c'è la riqualificazione della terraferma e la sistemazione della sua viabilità, con la costruzione di grandi terminal sulla gronda lagunare».

Cosa chiedono i cittadini principalmente al Sindaco?

«I cittadini si rivolgono al Sindaco per tutto e il contrario di tutto, specialmente per protestare contro disservizi reali o presunti: in un certo senso è ovvio. Ma quando un cittadino si scontra con una esigenza, un bisogno, un problema, la prima istituzione a cui gli viene spontaneo rivolgersi è quella più vicina, cioé il Comune e quindi il Sindaco. Con la nuova legge elettorale e l'elezione diretta del Sindaco, questo è diventato ancora più spontaneo perché il cittadino sente più vicino un Sindaco da lui personalmente scelto».

GIACOMO CASANOVA

Il 2 aprile 1725 nasce a Venezia, in Calle della Commedia, Giacomo Girolamo Casanova, figlio di Gaetano Casanova, un modesto attore, e di Zanetta Farusso in arte "La Buranella". In quell'anno i genitori calcavano le scene del teatro di San Samuele a Venezia, teatro di proprietà della famiglia Grimani. È propabile che il vero padre fosse il patrizio Michele Grimani, lo stesso Giacomo lo dichiarerà nel libro "Né Amori né Donne". Questa singolare confessione gli procurerà il suo secondo e definitivo esilio, così si troverà, ormai cinquantenne, a ripercorrere le capitali d'Europa cercando un onesto impiego. Arrivato al castello di Dux (oggi Duchov in Cecoslovacchia), fu assunto in qualità di bibliotecario dal proprietario, il conte di Waldenstein, e lì scrisse la colossale "Storia della mia vita" che fu stampata solo dopo la sua morte avvenuta il 4 giugno 1798. Giacomo Casanova ha lasciato nei libri numerose memorie di avventure e relazioni amorose. È stato autore anche di romanzi in italiano e in francese. Conosceva intellettuali dell'epoca, era un frequentatore di salotti, un giramondo e un conquistatore di donne. La storia delle sue proverbiali avventure galanti, si alterna e mescola a rappresentazioni di tutti i luoghi e gli ambienti tipici della società settecentesca, di cui complessivamente traccia un quadro vivace e suggestivo.

 Mettere in relazione:

Assumere	come impiegato
ripercorrere	un libro
procurare	il cammino
calcare	una fotografia
sviluppare	la scena
scrivere	aiuto

CURIOSITÀ

 Il detto
Veneziani gran signori.

 Il Florian
Si chiamava la Venezia Trionfante prima che venisse ristrutturato circa 100 anni fa, in questo bar ogni sala ha un nome famoso, c'è quella delle scienze, delle stagioni, degli uomini illustri e davanti alle sue vetrate sfila la vita, il Carnevale e le maschere di Venezia.

 Chioggia e il Delta del Po
Chioggia, chiamata la piccola Venezia è una miniatura di questa città e conserva intatto il suo fascino. È famoso il mercato ittico che si tiene quotidianamente, ricco di crostacei, frutti di mare, triglie, scampi che arricchiscono le tavole con splendidi fritti, grigliate e zuppe. In questa zona la costa è molto frastagliata e si trasforma in un labirinto tortuoso di dune, di sabbia e di canali che danno al paesaggio un aspetto equatoriale: è il delta del Po, navigabile e percorso da barche e battelli, con i quali si può scoprire questa splendida zona.

❗ Vicenza e le ville palladiane

Con il declino della potenza marinara di Venezia molti nobili presero dimora intorno a Vicenza, lungo il fiume Brenta e si dedicarono alle proprietà terriere. Sorsero così lussuose dimore progettate secondo i canoni stilistici neoclassici di Andrea

Palladio, con archi, colonne, architravi e capitelli dove abbondano stucchi e affreschi. Queste ville venete erano composte dal corpo padronale e da edifici laterali che servivano per gli attrezzi agricoli e per la servitù.

❗ Giulietta e Romeo

"Non c'è mondo fuori dalle mura di Verona" dice Romeo Montecchi nel dramma Sheakesperiano. La casa di Romeo è in via Arche, a Verona, mentre la casa della bellissima Giulietta con il leggendario balconcino è in via Cappello. Nella cripta dell'ex chiesa di S. Francesco al Corso è la visitatissima tomba di Giulietta dove si è consumata la tragica fine della bella storia d'amore.

📋 Costruisci una storia utilizzando queste parole:

vaporetto - canale - gondola - prenotare - partire - arrivare - imbarcarsi - molo - calle - pagare - mancia - ventaglio - vetro - merletto - osteria - mostra

----

BOLOGNA

Il cittadino di Bologna dice "Vado in Piazza" ed intende il centro della città dove c'è il palazzo del Podestà, quello dei Notai, la fontana del Nettuno e il tempio dedicato al Santo protettore: S. Petronio. Nella piazza, ritrovo dei giovani e dei turisti si incrociano le strade del passeggio e là sullo sfondo le sue torri; quella più alta degli Asinelli (m. 97.60) e quella più bassa della Garisenda. I suoi edifici hanno il caldo colore del laterizio ed i suoi portici sono stati costruiti per la comodità degli uomini, per proteggerli dalla pioggia e dal sole, per permettergli di camminare e discutere. "Bologna è bella" scriveva un poeta "e gli italiani non l'ammirano quanto merita"; ardita, fantastica nella sua architettura trecentesca e quattrocentesca. La cordialità degli abitanti rende piacevole la vita. È stata chiamata "la dotta" per le sue istituzioni culturali e prima fra tutte l'Università, la più antica d'Europa. Bologna la "grassa" per quella fertile terra agricola che la circonda e per la sua celebre cucina che forse influisce nell'indole bonaria dei suoi abitanti che hanno una certa filosofia di vita basata sull'allegria, la produttività e la gioia.

CURIOSITÀ

Il detto
Bolognesi gran dottori.

Rimini
Città natale di Fellini alla quale il regista si è spesso ispirato nei suoi film. Città viva e aperta che evoca immagini di mare, di donne belle e prosperose, di spiagge affollate, di cibi appetitosi, di giovani e di divertimenti.

Paolo e Francesca
Nel castello di Gradara vicino a Rimini, visitabile e aperto ai turisti, si è consumata la storia d'amore forse piu famosa dopo quella di Giulietta e Romeo e immortalata da Dante Alighieri nella sua opera. È la storia di una nobildonna, Francesca da Rimini che, durante l'assenza del marito, si innamora del fratello di costui. Questo amore nasce durante la lettura del libro che narra la storia della passione della regina Ginevra, moglie di Re Artù, per Lancillotto. Quando il marito di Francesca scopre il tradimento uccide i due amanti. Dante nella Divina Commedia, tuttavia, non incolpa i due del tradimento ma il libro che ha destato la passione. Questi sono infatti i versi di Dante... "Galeotto fu il libro e chi lo scrisse".

ENZO FERRARI

Maranello è un piccolo paese vicino a Modena, ma il suo nome è un mito nel mondo dell'automobile, poiché qui è nata nel 1945 la Ferrari che ha preso il nome dal suo fondatore Enzo Ferrari. Enzo Ferrari è morto nel 1988, dopo una vita spesa per le splendide macchine del cavallino nero rampante in campo giallo.

Così lo presenta Enzo Biagi in una sua intervista: «Lenti scure proteggono i suoi occhi, sembra un personaggio del West, forte, drammatico, in America lo considerano l'uomo più famoso dopo Cristoforo Colombo. Ferrari non si ammira ma si accetta...».

Biagi: Alcuni la chiamano il Mago di Maranello!

Ferrari: «Questa definizione non mi soddisfa affatto. Mi hanno definito irascibile, cinico, lunatico. Ma chi sono? Sono peggio di tanti altri ma forse ce ne sono pochi migliori di me. Ho avuto una vita intima tormentata ma sono capace di sentimenti profondi».

Biagi: C'è un altro mestiere che le sarebbe piaciuto fare?

Ferrari: «Il tenore dell'operetta o il giornalista».

Biagi: Qual è la qualità che apprezza di più?

Ferrari: «La sincerità».

Biagi: Qual è per lei la soddisfazione maggiore? Avere creato un'azienda, un nome che ha un enorme prestigio o sentirsi Enzo Ferrari?

Ferrari: «Quello che ho fatto, non è stato altro che la realizzazione di una fantasia dell'adolescenza, che mi ha permesso di soddisfare il mio feroce egoismo».

Biagi: Come vorrebbe essere ricordato?

Ferrari: «Preferirei il silenzio, se potessi direi: dimenticatemi. Quello che ho fatto l'ho fatto solo per me».

 RIFLESSIONE
GRAMMATICALE

Specifica il valore di «ne» nella frase: «Ce ne sono pochi migliori di me».

Scegli fra queste parole quelle giuste per completare le frasi che seguono:

finestrino - specchietto retrovisore - cofano - freno - targa - freccia - tergicristallo - parabrezza - fari - cambio - marce - portiera - paraurti

Quante .... ha la tua automobile?

Ieri Mario ha tamponato ed ha rotto il ....

Prima di sorpassare controlla lo ....

Scusa puoi abbassare il .... perché ho caldo.

Dino è sempre galante: quando salgo in macchina mi apre sempre la ....

Credo che la polizia abbia preso la tua .... poiché correvi troppo.

È buio, accendi i ....

Il .... è sporco, al prossimo distributore lo faccio pulire.

Apri il .... voglio controllare il livello dell'olio.

Piove, accendi il ....

È automatico il .... della tua automobile?

Tira bene il .... perché hai parcheggiato in discesa.

Usa la .... per girare a destra.

Con questi verbi inventa una storia

partire - attraversare - rallentare - sbandare - frenare - perdere il controllo - investire - urtare - polizia - carro attrezzi - pronto soccorso - sterzare.

Quali automobili preferisci?

Perché?

☐ Per la linea   ☐ Per la praticità

☐ Per la tecnologia   ☐ Per il costo

☐ Per la qualità   ☐ Per il prestigio

FIRENZE

"La buona aria, i cittadini bene costumati e le donne molto belle e adorne, i casamenti bellissimi, pieni di molte bisognevoli arti". Così parla della sua città Dino Compagni, contemporaneo di Dante, mercante e cronista.

E conclude "...molti di lontani paesi la vengono a vedere, non per necessità, ma per la bontà de' mestieri e arti e per la bellezza e ornamento della città". È difficile immaginare un luogo più romantico di Ponte Vecchio sull'Arno da cui si ammira il panorama dei maestosi palazzi che fiancheggiano il fiume, come è difficile trovare una collina più famosa di Fiesole che domina la città. Famosa per il verdeggiare perenne degli olivi e dei cipressi che adornano le ville antiche dove, da tempi lontani i nobili e i signori si stabilivano per godere dell'aria sana e della vista sulla città.

Firenze culla delle arti, del commercio, del sapere e della ricchezza. Ancora oggi Firenze è la capitale dell'artigianato italiano, sulle rive dell'Arno, nelle vie medioevali lastricate di selci vi sono le botteghe, dove, con magistrale perizia si producono cose futili e belle: argenti, pietre lavorate, ricami, paglie, oreficerie, cuoi e pelli. Traspare ovunque il forte ingegno, la innata creatività e il genio dei toscani. Questo genio trova radici nella propria storia, come diceva Michelangelo, "...quel poco ingegno che ho, lo devo all'aria natia".

E sono molti che devono forse a questa aria le loro capacità. Lo spirito arguto, ironico, pungente dei toscani è ormai noto in tutto il mondo e Roberto Benigni ne è stato l'ultimo alfiere.

Metti in relazione le seguenti parole:

culla	gioiello
ricamo	cintura
oreficeria	vassoio
pelle	neonato
argento	tovaglia
paglia	scarpa
cuoio	cappello

CURIOSITÀ

! Il detto
Meglio un morto in casa che un toscano all'uscio.

! Il Chianti
Il più famoso vino italiano. Le colline toscane sono coperte di queste viti nella zona fra Siena e Firenze dove molte cantine a conduzione familiare fanno a gara per produrre vini rossi di qualità altissima. Per i collezionisti e gli amatori ci sono bottiglie di annate speciali che possono raggiungere costi molto elevati.

! Boccaccesco
Si usa come termine per illustrare una storia che ha gli elementi dell'arguzia, della sfrontatezza, della furbizia e dell'amore. Tale parola ha origine dalle storie scritte dal famoso autore Giovanni Boccaccio che insieme a Dante e Petrarca è emblema della letteratura toscana e italiana nel '300.

! Gucci
È un po' il simbolo della moda fiorentina. Iniziò in una piccola bottega e divenne famoso per le borsette dal manico di bambù portate al braccio delle donne più note del mondo. È possibile comprare le sue creazioni anche presso lo spaccio nella periferia di Firenze.

! La Ribollita e la bistecca fiorentina
Due piatti tipicamente toscani. La ribollita è una zuppa di verdure fatta, come dice il termine, bollire due volte, è a base di verdure ma indispensabile è il cavolo nero. La bistecca cosa ha di particolare? Semplice, deve essere alta almeno 3 cm. e pesare come minimo 400 grammi.

! Ponte Vecchio
Dopo una prima costruzione in legno fu rifatto in muratura nel 1345; l'autore del progetto fu Neri di Fioravanti; dapprima fu affidato all'arte dei beccai (macellai) in seguito all'arte degli orafi.

! La casa di campagna toscana
È in realtà una fattoria a forma quadrata di pietra con all'interno un chiostro e con le finestre a forma di arco e una torretta al centro. Davanti spesso c'è un viale di cipressi.

CIVILTÀ ITALIANA

Prova a disegnare e a descrivere le caratteristiche delle case di campagna del tuo Paese:

_____

_____

_____

_____

_____

_____

_____

_____

_____

_____

_____

_____

_____

PERUGIA E L'UNIVERSITÀ PER STRANIERI

Perugia si erge alta e maestosa sopra il suo colle, invita il turista alla sua conoscenza, ma non vuole turisti pigri. La sua bellezza va conquistata con fatica. Si sale, si scende, anzi si ha l'impressione che siano più le salite che le discese. Ci sono intere vie a gradinate che si inerpicano all'interno della città. Uno stupendo panorama compensa il turista di tanta fatica. La piazza con la fontana, simbolo di un antico prestigio, e la sorprendente atmosfera della città antica, chiusa dentro la rocca Paolina, rendono unica questa città. La sua gente è ospitale ma cauta, con un carattere difficile da decifrare.

Il Bonazzi, autorevole storico di questa città, definisce i perugini bellicosi, violenti e prepotenti e forse in passato lo sono stati. Perugia è una città di antica tradizione universitaria. La presenza dell'Università per Stranieri è testimonianza di apertura culturale. Fu fondata nel 1921 da Astorre Lupattelli con lo scopo di diffondere in Italia e all'estero la storia e l'arte umbra tramite dei corsi che si svolgevano nella Sala dei Notari. Visto il successo dell'iniziativa nel 1927 ebbe una propria sede a Palazzo Gallenga, così chiamato dal nome del suo ultimo proprietario il conte Gallenga Stuart. In passato era stato dimora dei marchesi Antinori i quali avevano affidato la sua ristrutturazione all'architetto Francesco Bianchi. Il palazzo diventò così il più bello in stile barocco francese esistente a Perugia.

Nel 1931 l'Università fu ampliata grazie ad una donazione fatta da un cittadino americano, il dott. Frederic Thorne-Rider, entusiasta dell'attività di questa istituzione.

CURIOSITÀ

 In questa poesia di Claudio Spinelli, noto poeta dialettale umbro, è messo in rilievo il sarcasmo dell'umorismo umbro:

La disgrazzia de la moje	La disgrazia della moglie
- È stata 'na disgrazzia, sora Lella:	- È stata una disgrazia, signora Lella:
me s'è buttata giù dal sèst'piano...-	mi si è buttata giù dal sesto piano...-
- E vò 'nn ét' aprovato de fermàlla?-	- E voi non avete provato a fermarla?-
- Nunn'j' l'ho fatta: stevo 'n po' lontano.	- Non ci sono riuscito: stavo un po' lontano.
Sò curs' al quinto piano de volata	Sono corso al quinto piano di volata
ma lia porella era de già passata...-	ma lei poverina, era già passata...-

 La Rocca Paolina e la guerra del sale

Fu il Papa Paolo III Farnese a trovare il pretesto per sottomettere Perugia. L'occasione si presentò con il rifiuto dei perugini di pagare una tassa sul sale, tanto che i cittadini preferirono mangiare il pane sciapo pur di non cedere. Il Pontefice allora inviò le sue truppe e Perugia cadde nel 1540. Paolo III licenziò i Priori e li sostituì con un legato pontificio. Per meglio dominare la città, così restia all'obbedienza, il Papa fece distruggere un intero quartiere, quello dove sorgevano le case della famiglia più potente ed ostile, i Baglioni, insieme alle torri che l'abbellivano e ordinò al Sangallo, famoso architetto che aveva progettato molte roccaforti, di costruire in quel luogo una fortezza inespugnabile. Così nasce la Rocca Paolina.

La leggenda di S. Ercolano

S. Ercolano è il santo patrono più significativo per Perugia che ne ha tre; gli altri due sono S. Lorenzo e S. Costanzo. Il suo nome è legato ad una leggenda che testimonia il ruolo importante del Vescovo e delle autorità religiose all'inizio del Medioevo. Perugia, assediata dai barbari guidati dal re goto Totila, era ridotta alla fame. Dentro la città restava l'ultimo vitello e l'ultimo sacco di grano. Il Vescovo Ercolano, difensore della città, ordina di gettarli giù dalle mura in omaggio ai nemici. Spera con questo inganno di convincere i barbari che c'è ancora molto cibo in città e che è meglio abbandonare l'assedio. Lo stratagemma sta quasi per riuscire quando un chierico, invidioso, esce segretamente dalla città e si reca dal re goto per dirgli come stanno realmente le cose. Totila, dunque, invece di partire attacca la città che affamata cede. Il Vescovo è decapitato e gettato giù dalle mura dove oggi è la chiesa di S. Ercolano. Questa storia importante è stata immortalata in un affresco del pittore Benedetto Bonfigli: sullo sfondo è raffigurata la città come era prima che venisse distrutta dal Papa Paolo III per costruire la Rocca Paolina.

Spiega con parole tue il significato dei seguenti verbi:

Ergersi _____

Inerpicarsi _____

Compensare _____

Decifrare _____

Istituire _____

Rispondi alle seguenti domande:

Quale differenza storica e geografica c'è fra Perugia e la tua città? _____

_____

Illustra qual è secondo te l'angolo più bello di Perugia e descrivilo.

_____

_____

Racconta una leggenda del tuo Paese.

_____

_____

_____

_____

Abbiamo indicato alcune caratteristiche dell'indole dei Perugini, puoi descriverle?

_____

Scegli fra i seguenti aggettivi quelli adatti a descrivere l'indole degli abitanti della tua città: tranquillo, violento, pratico, bellicoso, gentile, prepotente, egoista, strafottente, generoso, ospitale, educato, freddo, cordiale, signorile, galante, imbroglione, pericoloso, chiacchierone, discreto, raffinato, dinamico, pigro, lavoratore, attivo, sornione, falso, avaro, duro, estroverso, accogliente, chiuso, arrogante, dolce, disponibile, sbrigativo, permaloso, impulsivo, ingenuo, timido, distaccato, puntuale, preciso.

Completare il seguente brano con la preposizione giusta:

Sono ... Perugia ... due giorni. È la prima volta che vengo ... questa città. Non immaginavo ... dovere fare tanta strada ... piedi. Ieri sono andato ... trovare un mio amico ... casa sua. Sono rimasto ... lui ... un'oretta ... riprendere fiato. Poi insieme abbiamo fatto una passeggiata ... Corso Vannucci. C'era una marea ... gente e ... camminare bisognava fare ... spinte. Siamo entrati ... un bar e abbiamo preso un caffè ... piedi. Più tardi ... ristorante dove abbiamo pranzato ha pagato il mio amico poiché io sono già ... verde.

CIVILTÀ ITALIANA

A PROPOSITO DI PITTURA
IL PERUGINO

Pietro Vannucci

Noto come il Perugino, nasce a Città della Pieve intorno alla metà del '400. Ancora giovane frequenta ad Arezzo la bottega di Piero della Francesca.

Solo nel 1475 è certamente a Perugia dove dipinge "L'adorazione dei Magi" che ancora oggi è possibile ammirare nella Galleria Nazionale dell'Umbria.

Le caratteristiche della sua pittura sono la grazia delle figure che appaiono silenziose e nobili sullo sfondo dei dolci paesaggi. La modernità della sua pittura lo rende famoso in tutta Italia e lui ne approfitta per dare il via ad una vasta produzione, anche di serie, dove impiega i suoi collaboratori. Nella sua bottega perugina fecero tirocinio il Pinturicchio e Raffaello.

FRANCO VENANTI

Pittore, è nato a Perugia, dove vive. Ha esposto nelle più importanti città italiane e all'estero. È stato invitato a rassegne nazionali e internazionali ottenendo prestigiosi riconoscimenti. Alcune presenze: «Il Computer 1962» alla Galleria d'Arte Moderna di Barcellona; «Anatomia di un cappello», museo della Repubblica di San Marino. È accademico di Merito dell'Accademia di Belle Arti Pietro Vannucci di Perugia e Grande Ufficiale della Repubblica. Collabora con noti letterati per il completamento grafico delle opere editoriali e con scritti su giornali e riviste. Ha pubblicato, tra l'altro: «Augusta Perusia», «Trasparenze di un Castello», «Pizzi e nastrini», «Anime e corpi», «Memorie perugine», «L'Alfabeto», «Il cappello a ciondoli» e «Dinastie perugine». Si sono interessati a lui numerosi personaggi della cultura contemporanea e la critica d'arte qualificata.

INTERVISTA A FRANCO VENANTI

Quali sono le caratteristiche della sua pittura?
«Una ricerca personale nel campo figurativo».

Quali sono i suoi soggetti preferiti?
«L'oggetto, la figura umana, la figura femminile, gli eventi».

Cosa significa essere artista nel 2000?
«È molto più impegnativo di un artista nel Rinascimento, perché in quell'epoca si considerava un artigiano e lavorava per farsi capire da tutti. L'artista del 2000 cerca di imporre la sua personale visione del mondo. Io vorrei rappresentare il punto di incontro fra queste due posizioni».

ROMA

Il famoso cantautore Antonello Venditti ha dedicato a Roma una canzone che recita più o meno così. "Quanto se' bella Roma a prima sera, quanno ne l'aria soffia er ponentino... quanto se' bella Roma... Roma capoccia del monno 'ntero". Roma "Caput Mundi", città d'arte e di storia per eccellenza, Roma pigra e festaiola come quella della "Dolce vita" o dei bulli di Trastevere. Roma ha tante facce diverse: c'è la città papalina, la Roma dei palazzi nobiliari, la Roma del Colosseo testimonianza di un passato oggi celebrato in certi ristoranti tipici dove i posteggiatori si travestono da gladiatori per farsi fotografare dai turisti. Roma capitale dell'inquinamento e del rumore ma anche capitale politica d'Italia che esercita questo ruolo in modo totale, in eterno antagonismo con la produttiva Milano. Il suo cuore pulsa ancora di ingenua vitalità con le sue botteghe di artigiani, cocciai, fabbri, restauratori e con i cestini di vimini che scendono dalle finestre degli ultimi piani.

C'è un attore a Roma, Alberto Sordi, che ha interpretato bene lo spirito romano e la psicologia dell'italiano medio. Sullo schermo infatti rappresenta un tipo che esiste in politica, nella diplomazia, negli affari. È uno che fa capire di contare moltissimo di volere e di potere, sbruffone, sfrontato, indifferente, desideroso di riuscire simpatico a quello che considera un possibile superiore.

Scegli gli aggettivi più indicativi per definire Roma:

Scegli gli aggettivi più indicativi per definire un romano:

Come definiresti gli abitanti della tua città?

Quale lavoro svolgono il cocciaio, il fabbro, il restauratore?

CURIOSITÀ

! Piazza della Bocca della Verità

La zona attira i turisti che vogliono provare a rischiare di infilare la mano nella Bocca della verità nel portico di S.Maria in Cosmedin, ma in questo angolo di Roma ci sono anche molte altre cose interessanti. Infatti qui c'era l'antico porto fluviale e il mercato del bestiame.

! La Fontana dei Quattro Fiumi

È la fontana in cui il Bernini ha rappresentato allegoricamente: il Gange, il Rio della Plata, il Danubio, il Nilo. Si trova in Piazza Navona davanti alla chiesa di S. Agnese, opera del Borromini. Esiste una leggenda che narra della rivalità fra i due grandi artisti: si dice che la figura del Rio della Plata tenga il braccio alzato per difendersi dal pericolo che la chiesa eretta dal rivale possa cadere, mentre la statua di S. Agnese situata sulla facciata della chiesa sembra che tenga la testa girata per non guardare la brutta fontana dinanzi a lei al centro della piazza.

! L'EUR

È il quartiere progettato e realizzato nel periodo fascista per volere di Mussolini. È strutturato secondo lo stile dell'epoca: marmo bianco, linee semplici e monumentali, grandi spazi.

! Il Caffè Greco

Il caffè Greco, in via Condotti, fu aperto da un greco, da cui prese il nome nel 1760. Per tutto il XVIII secolo fu frequentato da artisti italiani e stranieri come Byron, Goethe, Wagner, Liszt, Bizet. Erano clienti abituali anche Casanova e Ludovico di Baviera. Il locale è sempre affollato ed è piacevole bere un caffè nelle salette tappezzate di quadri e ritratti dei clienti più famosi.

S. Agnese.

Spunti per la conversazione...
Conosci aneddoti o locali storici della tua città?

Un funzionario protegge la regina dalla pioggia.

Francesco Rutelli è nato nel 1954. Eletto Sindaco di Roma per la prima volta nel 1993 ha portato avanti un intenso programma di rinnovamento urbanistico anche in funzione del Giubileo del 2000. Nel 2006 ha avuto un importante incarico nel Governo.

Cosa significa essere stato Sindaco di Roma nel 2000?

«Ha comportato una grande responsabilità e naturalmente un grande onore. L'onore di trovarsi alla guida dell'amministrazione Capitolina nel momento del passaggio al terzo Millennio, nell'anno del grande Giubileo del 2000. Ma l'ampia fiducia ricevuta e confermata dai cittadini di Roma con l'elezione diretta impegna il Sindaco».

Quli sono gli impegni più gravi che lei ha dovuto affrontare?

«Non c'è dubbio che l'emergenza primaria di una città come Roma è quella della mobilità. Decongestionare il traffico e modernizzare la rete dei trasporti pubblici. Ma non è questo l'unico problema. Occorre vigilare e operare affinché la sicurezza di tutti i cittadini e visitatori sia garantita di giorno e di notte. Parallelamente, la nostra comunità deve continuare a essere con tutti coloro che rischiano per i motivi più diversi di rimanere indietro: immigrazione, assistenza agli anziani, diritti dei bambini, aiuto alle persone psichicamente deboli, sono tutti settori nei quali l'intervento è stato e deve continuare incisivo».

Cosa chiedono i cittadini principalmente al Sindaco?

«Innanzi tutto di risolvere il grave problema della disoccupazione. Ma al Comune i romani chiedono di avere una città più vivibile, più pulita, nella quale potersi muovere agevolmente, con servizi efficienti e garanzie di sicurezza personale».

Perché consiglierebbe ad uno straniero di visitare Roma?

«Perché non può pensare di conoscerla già, anche se l'ha visitata già. La Roma del 2000 è anche in gran parte una città nuova, con attrattive inedite sul versante culturale, artistico e architettonico. E poi è una città nella quale la tradizione di ospitalità è finalmente sorretta da servizi di accoglienza adeguati. Insomma a Roma è d'obbligo venire se non ci si è mai stati. Ma è anche d'obbligo ritornare, perché è una città... eternamente nuova».

TRILUSSA
Carlo Alberto Salustri (Roma, 1871-1950)

Dissacratore, tagliente, ironico è forse il migliore interprete dello spirito romano. Attento osservatore della realtà ne coglie gli aspetti più umani e più veri, filtrati da una saggezza e filosofia di tradizione romanesca. La sua poesia satirica, dialettale e le favole hanno spesso una chiave morale. Alcune opere: «40 sonetti romaneschi», «Favole romane», «Cento favole».

Er marito filosofo

Se po sape' che diavolo j'ho fatto?
Fra mi' moje, mi' socera e mi' fija,
cio' contro tutta quanta la famija;
forse ce l'ha co' me perfino er gatto!

Se a cena, Dio ne guardi, faccio l'atto
de protestà, succede un parapija;
come me movo, vola una bottija;

appena ch'apro bocca, vola un piatto.
Poi, tutt'e tre d'accordo, vanno via;
allora resto solo e piano piano
scopo li cocci e faccio pulizia.
Finché arivato all'urtimo pezzetto
m'acce'nno mezzo sighero toscano,
strillo: Viva l'Italia!... e vado a letto.

📋 **Prova a riscrivere in italiano la poesia di Trilussa «Er marito filosofo»:**

Sapresti inventare una poesia in italiano con la rima?

NAPOLI

Napoli è veramente una città straordinaria, gioiosa, caotica, imprevedibile dove anche i prodigi sono di casa. Dal 1389 infatti si ripete il miracolo della liquefazione del sangue di San Gennaro, protettore della città. Qui è nata l'attrice italiana più famosa nel mondo: Sofia Loren. I napoletani sono un po' istrioni, generosi, furbi, fantasiosi. È un popolo che da sempre si arrangia per sopravvivere alla prepotenza di vari dominatori e alla miseria con questa filosofia: "Viva la Franza, viva la Spagna purché se magna!" Napoli è la città dove esiste il maggior numero di attività sommerse e dove la superstizione è molto diffusa. Anche la sfortuna, fornisce i numeri per giocare al Lotto con le indicazioni della Smorfia. Il gobbo ad esempio è 37, il morto che parla 48, la paura 90 ecc... Per il gioco la gente si indebita, come per organizzare un matrimonio o una festa che deve essere sempre sontuosa secondo le tradizioni meridionali. In questa città la camorra a volte spadroneggia, ma il problema non è più solo napoletano e la criminalità sta diventando un problema nazionale. Questa è anche la città più viva d'Italia dove i colori, i suoni, le voci ci accompagnano come una musica, è la città delle serenate, dell'amore, della tarantella, della canzone. Napoli è bellissima, ricca di monumenti e opere d'arte. Il bravo sindaco Bassolino è riuscito a fare molto per restaurarla e renderla accogliente così che oggi è spesso sede di importanti avvenimenti politici e culturali. Scriveva di lei Guido Piovene: "Mi basterà soffermarmi per un istante sulle voci napoletane, quelle del venditore di fave, d'acqua, di ciliegie. Ho udito anch'io risuonare più volte nella Napoli popolare le loro grida modulate, simili a quelle d'Oriente, forse in esse è la musica napoletana più vera".

Antonio Bassolino è nato vicino a Napoli. Nel 1979 è stato membro della direzione del PCI. Nel 1993 è stato eletto sindaco di Napoli e in seguito Presidente della Regione Campania.
È stato ministro del lavoro dal dicembre '98 al giugno '99. Ha ricevuto prestigiosi riconoscimenti fra i quali, dai giornalisti europei, quello per il turismo e per il rilancio della città di Napoli.

Sig. Bassolino, cosa ha significato essere stato Sindaco di questa città?

«È stato un incarico di cui ho avvertito in ogni momento, l'enorme importanza e responsabilità. Noi, io e la Giunta, le forze politiche, culturali, sociali più attente, abbiamo avviato un progetto di trasformazione verso una metropoli degna della sua prestigiosa storia. Eravamo consapevoli, si trattava di un cammino lungo e difficile, tenuto conto del gravissimo stato di abbandono in cui avevamo trovato la città».

Quali sono stati gli impegni più gravi che lei ha dovuto affrontare?

«Napoli, come del resto tante metropoli, è una città complessa, dove si intrecciano tali e tanti problemi e questioni da fare tremare i polsi. Il sindaco, tenuto conto anche dei suoi limitati poteri, deve definire priorità e interventi in grado di dare risposte, seppure parziali, a questi problemi. Mi spiego con degli esempi: quando mi sono insediato il Comune era senza soldi, allora abbiamo emesso delle obbligazioni collocate a Wall Street per reperire fondi necessari ad acquisire oltre 700 pullman e bus per garantire la mobilità dei cittadini e abbiamo messo mano alla costruzione di una metropolitana».

Cosa chiedono i cittadini principalmente al Sindaco?

«Il Comune è l'articolazione dello stato più vicina ai cittadini. È naturale che bussino alla porta della loro casa comune: il Municipio, per esporre i loro problemi e le loro esigenze, dal lavoro, alla casa, all'ordine pubblico. Nonostante la legge che ha consentito l'elezione diretta dei sindaci, i comuni, come ho già detto, hanno poteri limitati ed i primi cittadini hanno posto da tempo all'attenzione del Parlamento la necessità di una riforma in senso federale dello Stato con competenze più mirate, soprattutto in materia fiscale».

Perché consiglierebbe ad uno straniero di visitare Napoli?

«Napoli è una delle poche città al mondo dalla storia plurimillenaria.
Dai greci, ai romani, ai normanni agli aragonesi, agli angioini ai borboni; tante civiltà diverse hanno messo radici in questa città che è "diventata una miscela di culture sempre aperta a nuovi stimoli».

PROVERBI NAPOLETANI

Ogni scarrafone è bello a mamma soia!

È morta 'a criatura nun simm' chiu cumpari!

Chello che se vo', se po'; chello che nun se vo', nun se po`.

FRASI CELEBRI

Napule è nu paese curioso
è nu teatro antico... sempre apierto; ce nasce
gente ca senza cuncerto
scenne p'strade e sape recita!

EDOARDO DE FILIPPO

A LIVELLA

'A morte 'o ssaje ched'è?
è una livella.'Nu rre, 'nu maggistrato,
'nu grand'ommo,
trasenno stu canciello ha fatt'o punto
c'ha perzo tutto, 'a vita e pure 'o nomme..."

TOTO'

Scrivi proverbi o detti famosi del tuo Paese in italiano:

CURIOSITÀ

! **A Napoli**

C'è una usanza antica e molto bella che è spia della generosità di questa gente, quella del "caffé pagato". In pratica quando qualcuno va in un bar per consumare qualcosa, oltre alla propria consumazione può pagare anche un caffé in più che potrà essere utilizzato da qualche povero. Appunto il "caffé pagato".

! **La serenata**

Sembra oggi una cosa superata. Ma a Napoli questa usanza romantica ancora resiste: in occasione di fidanzamenti o matrimoni spesso, sotto le finestre dell'amata l'innamorato con un gruppo di musicisti intona canzoni melodiose finché l'amata non si affaccia in segno di gradimento.

! **La Tarantella**

È il tradizionale ballo che si accompagna al suono dei tamburelli.

! **Il mandolino**

È lo strumento classico che accompagna le canzoni napoletane.

! **Pulcinella**

È la maschera di Napoli.

! **La sceneggiata**

È una sorta di rappresentazione teatrale melodrammatica molto radicata nella cultura napoletana perché rispecchia la quotidianità della vita vera di Napoli.

! **La vera pizza napoletana**

Non è sottile ma alta e soffice e contornata da un bordo piuttosto gonfio. Deve essere cotta naturalmente nel forno a legna.

! **Le sfogliatelle**

Sono tipici dolci formati da un sottile nastro di pastasfoglia croccante, girato in molti strati fino a formare un bel cono rigonfio di ricotta dolce o crema.

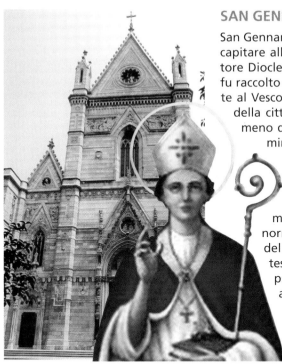

SAN GENNARO

San Gennaro, Vescovo di Benevento, fu fatto decapitare all'inizio del IV secolo d.C. dall'imperatore Diocleziano. Dopo il martirio il suo sangue fu raccolto da una donna in due ampolle affidate al Vescovo di Napoli. Il Santo, che è patrono della città, è al centro di un grandioso fenomeno di religiosità e devozione collegato al miracolo della liquefazione del suo sangue che si ripete ogni anno il primo sabato del mese di maggio e il 19 settembre. Il luogo storico destinato alle implorazioni al Santo e alla cerimonia dello scioglimento del sangue, normalmente coagulato, è la cappella del Tesoro nel Duomo. Ci sono molte ipotesi su questo fenomeno, dalla energia psichica sviluppata dalla folla fino all'imbroglio.

Comunque per i napoletani San Gennaro è intoccabile.

Spunti per la conversazione…
Conosci qualche storia di Santi?

Parliamo di superstizione:

Porta fortuna   Porta sfortuna

-------------------------------   -----------------------------------
-------------------------------   -----------------------------------
-------------------------------   -----------------------------------

MARCELLO D'ORTA

È l'autore di una raccolta di temi scritti dagli studenti della scuola elementare di un quartiere povero di Napoli dove D'Orta insegnava. Tramite queste composizioni divertenti, pubblicate in un libro con il titolo "Io speriamo che me la cavo", traspare la triste condizione sociale di una certa Napoli. È uno spaccato di vita e di mentalità che aiuta a comprendere in parte la cosidetta napoletanità.

«IO SPERIAMO CHE ME LA CAVO»
Tema: Il maestro ha parlato della Svizzera
Sapresti riassumere i punti salienti della sua spiegazione?

"La Svizzera, è un picolo paese d'Europa che si afacia sulla Svizzera, l'Italia, la Germania, la Svizzera e l'Austria. A molti laghi e molte montagnie, ma il mare non bagnia la Svizzera, e soprattutta Berna.
La Svizzera vende le armi a tutto il mondo per falli scannare ma lei non fà neanche una guerra piccolissima.
Con quei soldi costruisce le banche. Ma non le banche buone, le banche dei cattivi, specialmente i drogati. I delinguenti della Sicilia e della Cina mettono li' i soldi, i miliardi.
La polizia và, dice "di chi sono questi soldi? "...non lo so , non te lo dico, sono fatti miei, la banca è chiusa".
Ma non era chiusa ! Aperta era!!
La Svizzera, se a Napoli tieni il tumore, a Napoli muori, ma se vai a Svizzera muori più tardi oppure vivi. Perché le clinica sono bellissima, il tappeto, i fiori, le scale pulite, neanche una zoccola. Però si paga molto, se non fai il contrabbando non ci puoi andare.
Va bene lungo così il tema?"

Riscrivi correttamente le parole o le costruzioni linguistiche sbagliate:

BARI

Bari è sede della Fiera del Levante e centro di commerci nel Tavoliere, la pianura più ricca e fertile in Italia dopo quella padana. La Puglia è un immenso campo di grano duro ed il resto della regione un Eden di frutteti, oliveti, vigneti, una grande terra agricola che lascia spazio ad un folto tessuto di piccole attività e industrie. Dice un vecchio proverbio locale "I sacrifici nascono prima dei figli" ed i pugliesi hanno due spiccate virtù: l'intraprendenza e una grande energia. Amanti dei viaggi fin dai tempi antichi allacciarono rapporti commerciali con tutti i popoli del Mediterraneo. La città di Bari è un'unica grande vetrina, i greci, i turchi, i ciprioti, gli albanesi, i montenegrini i bulgari sono abituati da secoli a venire qui e mercanteggiare. È una delle province più ricche d'Italia che contende a Palermo ed a Napoli il titolo di capitale del Sud ed il suo sviluppo, anche caotico, le ha procurato la fama di California selvaggia. Si arriva a Piazza S. Nicola attraverso un dedalo di piccole strade, tra botteguce sempre gremite in un colorito via vai di gente; costeggiando un muraglione di pietra, si varca un arco ed ecco apparire la più ricca e la più severa di tutte le costruzioni romaniche di Puglia: la cattedrale di S. Nicola.

PADRE PIO

È stato santificato Padre Pio, il frate cappuccino di San Giovanni Rotondo, piccolo paese della Puglia. Era figlio di povera gente e si chiamava Francesco Forgione. Non era colto, parlava con ruvida immediatezza. Le sue maniere erano brusche, non aveva grande pazienza, sgridava gli ipocriti e allontanava gli insistenti, ma sotto la barba bianca, il volto pallido e stanco nascondeva una certa nobiltà. Padre Pio è vissuto in modo parco, dormiva 3 o 4 ore, mangiava solo verdure, formaggio e frutta e beveva un bicchiere di vino; tutta la sua vita se ne è andata in una cella di convento tra orazioni e penitenza. Celebrava la messa all'alba, si avvicinava all'altare con fatica, strisciava i sandali sul pavimento, il volto illuminato dalle candele era segnato dal dolore, qualcuno sosteneva che la presenza del Padre era circondata da un sottile colore viola e un profumo di fiori.

CURIOSITÀ

 I trulli
Sono abitazioni tipiche della zona delle Murge. Hanno un'architettura a forma di cono chiuso alla sommità da un'unica pietra sormontata da un pinnacolo. Le pareti esterne di colore bianco nella forma originale contenevano un solo vano, ora hanno forme più complesse con più vani comunicanti fra loro. Sono freschissimi d'estate e non troppo freddi d'inverno. Alberobello è la cittadina più famosa con questo tipo di costruzione.

Scrivi il contrario dei seguenti nomi:
intraprendenza, energia, caotico, severo, gremito, immenso

IL PARCO NAZIONALE D'ABRUZZO E DEL POLLINO

L'Abruzzo è una regione abitata da gente riservata e dignitosa abituata al lavoro e al sacrificio, disposta ad affrontare l'incognita dell'emigrazione per sopravvivere a territori difficili che si stendono fino alla costa coperta di pinete. Oggi il turismo ha scoperto queste zone che sono protette grazie all'istituzione di parchi che ne preservano le caratteristiche faunistiche e vegetative. La Camosciara, il nome stesso lo dice: è un'oasi per caprioli, cervi, camosci, lupi che si muovono fra boschi di faggio, corsi d'acqua e cascate; è così anche il vicino parco del Pollino. Fra gli animali protetti ci sono cinghiali, volpi, lepri, l'aquila reale, il gufo reale. Vicino, in Basilicata, c'è la città di Matera famosa per i suoi "Sassi", dichiarati dall'Unesco patrimonio dell'umanità. Si tratta di un insediamento antico dove, sul fianco di una montagna, la gente viveva all'interno di grotte rudimentali abitate anche dai primi monaci che ricavavano sulla roccia delle suggestive chiese rupestri.

CURIOSITÀ

Il detto
Abruzzese forte e gentile.

In Abruzzo
Una volta i pastori si spostavano con le greggi dalle montagne verso la pianura a seconda delle stagioni: questo rito si chiama la Transumanza.

Le zampogne
Sono strumenti musicali a fiato ricavati dalla pelle di montone, simili a quelli che si suonano in Scozia. I suonatori sono chiamati zampognari e a Natale, secondo la tradizione, si aggirano per i paesi suonando per raccogliere un po' di denaro.

La festa dei Serpari
Si svolge a Cucullo il primo giovedì di maggio, durante questa processione, in onore di S. Domenico protettore dal morso dei serpenti, alcune persone portano dei rettili vivi avvinghiati al corpo. La festa ha un'origine pagana.

A Venosa
In Basilicata è nato Orazio, il grande poeta latino autore dei CARMINA e dell' ARS AMATORIA.

Lucania
È l'antico nome della Basilicata che deriva da "lucus" bosco.

IGNAZIO SILONE

Autore di opere legate sia alla sua esperienza politica (che lo porta prima ad attività filocomuniste, poi a ripensamenti e ad un avvicinamento al mondo cattolico) sia alla sua terra semplice e povera. Ricordiamo: "Fontamara", "Pane e vino", "L'avventura di un povero Cristiano".

DA «FONTAMARA» DI IGNAZIO SILONE

Il primo di giugno dell'anno scorso Fontamara rimase per la prima volta senza illuminazione elettrica. Il 2 di giugno, il 4 di giugno, Fontamara continuò a rimanere senza illuminazione elettrica. Così nei giorni seguenti e nei mesi seguenti, finché Fontamara si riabituò al regime del chiaro di luna. Per arrivare dal chiaro di luna alla luce elettrica, Fontamara aveva messo un centinaio d'anni attraverso l'olio d'oliva e il petrolio. Per tornare dalla luce elettrica al chiaro di luna bastò una sera. I giovani non conoscono la storia, ma noi vecchi la conosciamo. Tutte le novità portateci dai piemontesi in settanta anni si riducono insomma a due: la luce elettrica e le sigarette. La luce elettrica se la sono ripresa. Le sigarette? Si possa soffocare chi le ha fumate una sola volta. A noi è sempre bastata la pipa. A Fontamara la luce elettrica era diventata una cosa naturale come il chiaro di luna. Nel senso che nessuno la pagava da molti mesi. E con che cosa avremmo dovuto pagarla? Negli ultimi tempi il cursore comunale neppure era venuto più a distribuire la solita fattura mensile col segno degli arretrati. L'ultima volta che il cursore era venuto per poco non ci aveva lasciato la pelle. Per poco una schioppettata non l'aveva disteso secco all'uscita del paese. Egli era assai prudente. Veniva a Fontamara quando gli uomini erano al lavoro e nelle case non trovava che donne e creature. Né a lui balenò mai l'idea di proporre al comune un'azione giudiziaria contro i Fontamaresi. "...Sa... se potessero sequestrare i pidocchi -aveva suggerito una volta- senza dubbio un'azione di giustizia darebbe risultati importanti. Ma se fosse lecito poi chi li comprerebbe?"

Rispondi alle domande:

Quali novità aveva portato il governo piemontese? ....

....

....

Chi era il cursore? ....

Perché il cursore portava le fatture quando gli uomini non c'erano? ....

....

Perché i Fontamaresi non pagavano le fatture della corrente elettrica? ....

....

Cosa avrebbe potuto pignorare il Cursore? ....

Quale è il valore grammaticale dell'espressione...
«Se si potessero sequestrare i pidocchi un'azione di giustizia darebbe...».

Spiega il significato delle seguenti espressioni:

Fontamara aveva messo un centinaio d'anni _____

_____

Le novità si riducono _____

_____

La schioppettata _____

_____

Distendere secco _____

_____

Lasciare la pelle _____

_____

Azione di giustizia _____

_____

LA CALABRIA

Punta estrema d'Italia, terra ricca di storia ma quasi defilata dal resto del paese, misteriosa e inesplorata. Terra dai forti contrasti con coste dal mare di smeraldo e montagne aspre, lo stesso nome Aspromonte ne rivela la natura.

La zona è così bella che nel 1968 è stato costituito un parco: il parco Nazionale della Calabria. Qui scorrono i corsi d'acqua stagionali le cosidette fiumare e la vegetazione, a circa 2000 metri di altezza, è costituita da betulle e pini bianchi. La gente, in qualche paese, parla oggi un dialetto che ricorda l'antico idioma ellenico, ricco di arcaismi ma lontano sia dal calabrese che dal greco moderno. Davanti a Reggio Calabria il mare e la luce giocano scherzi incredibili come quello della "fata Morgana", un semplice fenomeno di rifrazione che crea dal nulla eserciti e castelli sullo stretto dinanzi a Messina. La Calabria è stata anche terra di briganti, un fenomeno da ricondurre alle condizioni di povertà e arretratezza di questa regione mal compresa da tutti anche dal governo piemontese. Per protesta e per sfuggire alla miseria il brigantaggio offriva una via di elevazione e spesso è stato strumentalizzato dai governi reazionari borbonici contro il nuovo governo di Torino. Oggi si chiama 'ndrangheta a questo proposito così scrive Corrado Alvaro:

" ...i mafiosi, forti della violenza, acquistavano un rango sociale. Disprezzati fino a ieri, diventavano terribili; quando una società dà poche occasioni di cambiare stato, o nessuna, fare paura è un mezzo per affiorare. Per questo anche bande di giovanissimi cominciano vendendo sigarette di contrabbando, rubano radio dalle automobili poi crescono le pretese e le esperienze. Sono bei ragazzi con la faccia d'angelo, tuta sportiva, gel sui capelli, moto giapponese, tante catene e bracciali d'oro. Seguendo l'insegnamento dei più competenti, si può vivere spaventando i negozianti e spacciando droga".

CURIOSITÀ

 In Calabria

Ci sono ancora delle comunità di origine albanese come "S. Giovanni in Fiore" dove oltre a parlare l'albanese le donne conservano il tradizionale costume tutto nero, gonna pieghettata, corpino di velluto, camicia con merletti e i capelli pettinati con piccole trecce raccolte. L'emigrazione in questa terra e nelle regioni del sud in generale è stato un fenomeno molto diffuso determinato dalla mancanza di lavoro e le mete erano dagli anni '20 in poi gli Stati Uniti, l'Argentina, l'Australia, il Nord Europa e il Nord Italia.

Oggi da paese di emigranti siamo divenuti paese meta dell'emigrazione proveniente dalle aree più povere. In Italia del resto la manodopera è ormai ricercata fra gli extra comunitari ai quali, se in possesso dei regolari documenti viene assicurato un trattamento equo e legale. Sicuramente i tempi erano diversi, ma i nostri emigranti hanno avuto storie ed esperienze ben diverse da quelle che oggi hanno coloro che dai Paesi più poveri approdano in Italia in cerca di fortuna.

CORRADO ALVARO

Nato a S. Luca di Calabria nel 1895, nelle sue opere individua la grande arretratezza del Sud all'interno dell'euforico processo di industrializzazione e con note autobiografiche critica la società fatua e corrotta. Le pagine più belle sono quelle legate alla sua terra.

DA «GENTE IN ASPROMONTE» DI CORRADO ALVARO

"Non è bella la vita dei pastori in Aspromonte, d'inverno, quando i torbidi torrenti corrono al mare e la terra sembra navigare sulle acque. I pastori stanno nelle case costruite di frasche e di fango e dormono come animali.
Vanno in giro coi lunghi cappucci attaccati alla mantelletta triangolare che protegge le spalle.
I torrenti hanno una voce assordante. Sugli spiazzi le caldaie fumano al fuoco, le grandi caldaie dove si coagula il latte tra il siero verdastro delle erbe selvatiche. Intorno alla caldaia ficcano i lunghi cucchiai di legno inciso e buttano grandi fette di pane. Sono accucciati alle soglie delle tane e aspettano il giorno della discesa al piano, quando appenderanno la giacca e la fiasca all'albero dolce della pianura".

DA «TUTTO E' ACCADUTO» DI CORRADO ALVARO

"Pare che le razze migliori siano di montagna. Quelle marine non sono belle, specialmente sulle coste dell'Italia meridionale. Furono troppo rimescolate e spesso ne sono venuti fuori degli ibridi. Alcune si mescolarono coi pirati, i quali approdavano, vi soggiornavano qualche mese, poi ripartivano o fuggivano lasciando i figli. Sono venuti fuori tipi da ciurma. Soltanto in qualcuno, che si distingue subito come più combattivo, anche perché più bello degli altri, deve essere rimasto il sangue di un capo o di qualcuno avventuroso. Neppure le donne sono belle in questi luoghi, hanno soltanto begli occhi con la pupilla grande, da orientali".

📋 Descrivi i tratti somatici che ti hanno colpito di più fra gli italiani:

LA SICILIA

Goethe diceva «Non ci si può fare un'idea dell'Italia senza avere visto la Sicilia che racchiude la chiave di tutto». Altri l'hanno definita "Una schiava-regina ingioiellata da re, imperatori, cavalieri, dominatori venuti da ogni parte del mondo. Palermo riassume in piccolo tutta la Sicilia: un mix di stili, gusti, rumori, colori, atmosfere: "Un bellissimo Caos" per lo scrittore Leonardo Sciascia: "Una mistura di raffinatezze arabe, di fantasie barocche e austera architettura normanna".

Ma l'affascinante cultura di questo popolo antico è evidente soprattutto negli interni dei suoi ricchi palazzi e delle sue ville. Nel centro storico di Palermo in un labirinto di stradine c'è il più noto, palazzo Gangi, dove il regista Luchino Visconti girò la scena del ballo del "Il Gattopardo".

Se si pensa alla Sicilia si pensa all'Etna, vulcano attivo vicino a Catania, e agli aranceti della Conca d'oro in prossimità di Palermo.

Sensazioni e colori indimenticabili. Il caldo vento di scirocco, il profumo violento dei gelsomini, il blu accecante del mare, i colori vividi della frutta scolpita nei dolci di marzapane come tante opere d'arte.

Un luogo magico dove le storie cavalleresche sono ancora vive nel teatro dei pupi. La Sicilia di Verga risuona nelle voci dei pescatori di pesce spada, quella di Sciascia nei personaggi fieri ed enigmatici degli uomini di potere. Una terra nella quale ogni realtà ha due facce e ogni parola più interpretazioni. La bellezza delle sue donne è altera e le passioni totali. Ci sono grandi ricchezze e grandi povertà in questa isola, due mondi che convivono paralleli ma tutti si ritrovano nelle feste, nelle piazze per celebrare i propri Santi e i propri riti. È stato chiesto ad un noto personaggio palermitano: «Chi è un siciliano?» ha risposto «...un siciliano è una specie di sintesi di storie che ci hanno preceduto ma per me... l'aria, i profumi di questa terra sono il telecomando che spegne il resto del mondo».

L eoluca Orlando, eletto Sindaco di Palermo per due volte, è professore di diritto pubblico regionale alla facoltà di Giurisprudenza di Palermo e promotore di un forte movimento antimafia. Durante il suo mandato di Sindaco ci ha rilasciato questa intervista.

Sig. Sindaco cosa significa essere Sindaco di Palermo?

«Essere Sindaco di Palermo per me rappresenta la più bella esperienza nella vita. Una città nella quale ripeto spesso, il cane, il gatto, il topo, camminano insieme per testimoniare la dimensione di accoglienza che ci caratterizza in maniera inconfondibile. Un risultato assai importante per una città che per troppo tempo è stata costretta a ragionare con logiche di emergenza e che oggi viene indicata dalla comunità internazionale come un simbolo, un modello da seguire e da imitare per i positivi effetti in essa sortiti dall'educazione civica e dalla promozione umana».

Quali sono i problemi più gravi che lei ha dovuto affrontare?

«Si tratta di problemi normali; quelli che ogni Sindaco normale di una città normale è chiamato ad affrontare ogni giorno per offrire risposte concrete ai suoi cittadini. È sicuramente prioritario il problema della disoccupazione, che a Palermo, come in tutto il merdione è una piaga terribile».

Quali sono gli obiettivi primari da raggiungere?

«Palermo dopo essere stata per troppo tempo la capitale della mafia, deve oggi essere la capitale mondiale della lotta ad ogni forma di criminalità. Palermo aspira a divenire capitale mondiale dei diritti umani: è per questo che ogni anno l'amministrazione comunale conferisce la cittadinanza onoraria a tutti i condannati a morte segnalati da Amnesty International: un segnale per testimoniare ancora una volta che nessuno, neanche uno stato, può togliere la vita.

Cosa chiedono al Sindaco principalmente i cittadini?

«I cittadini chiedono al loro Sindaco un sempre maggiore impegno per la promozione di nuove ed efficaci politiche occupazionali. Ma al sindaco la gente chiede soprattutto di essere il portavoce delle sue istanze di giustizia sociale e rivolge richieste di aiuto per le situazioni più diverse».

Perché consiglierebbe ad uno straniero di visitare Palermo?

«Sono decine di migliaia gli stranieri che ogni anno vengono a Palermo ad apprezzare la diversità di stili, di culture, di tradizioni, di architetture che solo questa città, come punto d'incontro tra la Mitteleuropa ed il Mediterraneo è in grado di poter offrire.
Ma Palermo vanta anche un'enorme offerta di prestigiosi eventi culturali che trovano spazio ogni giorno sulle pagine dei giornali italiani e stranieri. E sono tantissimi gli stranieri, più o meno celebri, che decidono di venire a risiederci».

CURIOSITÀ

Il rito della granita

Il rito comincia presto tra le 7 e le 8,30, dopo il forte caffè del mattino. Fuori non è ancora caldo, tranne che nelle giornate di scirocco africano, quando l'afa non sembra fare differenza fra il giorno e la notte. Con l'inizio dell'estate, per la prima colazione nei bar della Sicilia non si ordinano più cappuccini bollenti, ma granite al caffé o alla frutta, freschissime, con la panna montata e accompagnate da morbide brioches appena sfornate. Un rito tutto siciliano che le tendenze moderne non hanno scalfito.

La tradizione popolare attribuisce agli arabi l'introduzione di questa bevanda. Sembra che anticamente si prelevassero dall'Etna grandi quantità di neve che veniva conservata in profondissime cavità nella montagna e coperta da felci per mantenere la temperatura. Il ghiaccio ottenuto veniva tagliato a blocchi e spedito in casse di sughero fino a Napoli.

I cannoli, il marzapane, la cassata

I cannoli sono dolci formati da un cilindro di pasta fritta riempito di ricotta, canditi e cioccolato. La cassata è una torta a base di ricotta, glassa, mandorle e canditi. Si può trovare anche sottoforma di gelato. Il marzapane è un composto a base di zucchero, mandorle e aromi con il quale si fanno dolci che hanno la forma di frutta. Oltre che per la loro bontà sono affascinanti da vedere poiché i pasticcieri li scolpiscono e colorano in modo tale da sembrare dei frutti veri.

I baroni

Con questo termine si indicano in generale tutte le persone di potere. In ogni caso la Sicilia è una terra in cui la nobiltà ha lasciato tracce importanti di grandi fasti e raffinatezza nei suoi palazzi. Vengono chiamate le dimore dei Gattopardi quelle favolose villle che somigliano a quella dove è stato girato il film "Il Gattopardo".

Illustra con quale rito inizia la giornata nel tuo paese d'origine:

IL GATTOPARDO *di Giuseppe Tomasi di Lampedusa, Palermo 1896 - Roma 1957. Di nobile Famiglia, principe di Lampedusa, partecipò alla guerra 1915-18 e rimase nell'esercito fino al 1925, si ritirò quindi a vita privata.*

Siamo in Sicilia, all'epoca del tramonto borbonico. È di scena una famiglia della più alta aristocrazia isolana, colta nel momento rivelatore del trapasso dal vecchio regime ai tempi nuovi con la costituzione del regno d'Italia. Accentrato quasi unicamente intorno ad un unico personaggio, il principe Fabrizio Salina, il romanzo è lirico e critico insieme. L'immagine della Sicilia invece è un'immagine viva, animata da uno spirito moderno e cosciente del mutamento storico.

Leggiamo insieme alcuni brani di questo libro con la descrizione viva e attenta dei personaggi principali e dell'indole dei siciliani.

I personaggi

IL PRINCIPE FABRIZIO SALINA

Lui, il principe, intanto si alzava. L'urto del suo peso da gigante faceva tremare il pavimento e nei suoi occhi chiarissimi si riflesse per un attimo, l'orgoglio di questa effimera conferma del proprio signoreggiare su uomini e fabbricati. Adesso poneva lo smisurato messale rosso sulla seggiola che gli era stata dinanzi durante la recita del rosario. Un po' di malumore intorbidò il suo sguardo quando rivide la macchiolina di caffè che, fin dal mattino, aveva ardito interrompere la vasta bianchezza del panciotto. Non che fosse grasso: era soltanto immenso e fortissimo. La sua testa sfiorava (nelle case abitate dai comuni mortali) il rosone inferiore dei lampadari. Le sue dita potevano accartocciare come carta velina le monete da un ducato. Fra Villa Salina e la bottega di un orefice c'era un frequente andirivieni per la riparazione di posate che la sua contenuta ira, a tavola, gli faceva spesso piegare in cerchio. Il pelame color miele denunziava l'origine tedesca di sua

madre, la principessa Carolina. Nel suo sangue fermentavano anche altre essenze germaniche: un temperamento autoritario, una certa rigidità morale, una propensione alle idee astratte che nell'habitat molliccio della società palermitana si erano mutati in prepotenza capricciosa e disprezzo per i suoi parenti e amici che gli sembrava andassero alla deriva nel lento fiume del pragmatismo siciliano.

IL NIPOTE DEL PRINCIPE, TANCREDI

Tutti erano bianchi di polvere fin sulle ciglia, le labbra, le code. Tanto più brillava fra il sudiciume la correttezza elegante di Tancredi. Aveva viaggiato a cavallo e giunto alla fattoria prima della carovana, aveva avuto il tempo di spolverarsi, ripulirsi e cambiare la cravatta bianca. Quando aveva tirato fuori l'acqua dal pozzo si era guardato un momento allo specchio del secchio e si era trovato a posto, con quella benda nera sull'occhio destro, che ormai serviva a ricordare più che a curare la ferita al sopracciglio buscata, tre mesi prima, nei combattimenti di Palermo.

Con quell'altro occhio azzurro che sembrava avere assunto l'incarico di esprimere la malizia anche di quello temporaneamente eclissato. Col filetto scarlatto al disopra della cravatta che discretamente alludeva alla camicia rossa che aveva portato. Aiutò la principessa a scendere dalla vettura, spolverò con la manica la tuba dello zio, distribuì caramelle alle cugine e frizzi ai cuginetti, si genuflesse dinanzi al gesuita, ricambiò gli impeti passionali del cane, consolò mademoiselle Drombeil, prese in giro tutti, incantò tutti.

ANGELICA, LA FIDANZATA DI TANCREDI

La porta si aprì ed entrò Angelica. La prima impressione fu di abbagliata sorpresa.
I Salina rimasero col fiato in gola. Tancredi sentì addirittura come se gli pulsassero le vene delle tempie. Sotto l'impeto della sua bellezza gli uomini rimasero incapaci di parlare. Era alta, ben fatta, in base a generosi criteri. La sua carnagione doveva possedere il sapore della crema fresca alla quale rassomigliava, la bocca infantile quello delle fragole. Sotto la massa dei capelli color notte, avvolti in soavi ondulazioni, gli occhi verdi albeggiavano, immoti, come quelli delle statue e come questi un po' crudeli. Procedeva lenta, facendo roteare intorno a sé l'ampia gonna bianca e recava nella persona la pacatezza, l'invincibilità della donna di sicura bellezza. Molti mesi dopo soltanto si seppe che al momento di quel suo ingresso trionfale era stata sul punto di svenire per l'emozione.

Attribuisci ai personaggi gli aggettivi idonei:

Il principe è --

Tancredi è --

Angelica è --

Crudele	Dolce	Maestoso/a	Ambizioso/a
Solenne	Incantevole	Arguto/a	Onesto/a
Voluttuoso/a	Cortese	Divertente	Disincantato/a
Forte	Sobrio/a	Raffinato/a	Altezzoso/a
Ingenuo/a	Splendente	Galante	Seducente
Calcolatore/trice	Misurato/a	Delizioso/a	Ammaliante

Il nuovo governo di Torino, conoscendo la fama dei Salina invia un legato in Sicilia, il Sig. Chevalley, per proporre al principe di assumere la carica di senatore del Regno.

Appena seduto Chevalley espose la missione della quale era stato incaricato.

"Dopo la felice annessione è intenzione del governo di Torino di nominare senatori del regno alcuni illustri cittadini siciliani e si è subito pensato a lei... il suo nome è illustre per antichità e per prestigio personale!"

"Ma insomma cos'è veramente essere senatore? Un appellativo onorifico o bisogna svolgere mansioni legislative?"

Il piemontese s'inalberò "...Ma principe, il Senato è la Camera alta! Quando lei ne farà parte potrà fare udire la voce di questa sua bellissima terra con tante piaghe da sanare!"

"... Stia a sentire Chevalley, se si fosse trattato solo di un titolo onorifico da scrivere sulla carta da visita sarei stato lieto di accettare..!"

"Allora accetti principe !..."

"...Abbia pazienza Chevalley, adesso mi spiegherò. Noi siciliani siamo stati abituati da una lunghissima egemonia di governanti, che non erano della nostra religione, che non parlavano la nostra lingua, a spaccare i capelli in quattro. Se non si faceva così non si sfuggiva agli esattori bizantini, agli emiri berberi, ai viceré spagnoli. Adesso la piega è presa, siamo fatti così. In questi ultimi mesi, da quando il vostro Garibaldi ha posto piede a Marsala troppe cose sono state fatte senza consultarci perché adesso si possa chiedere ad un membro della vecchia classe dirigente di svilupparle e portarle a termine. Non voglio discutere se ciò che si è fatto è stato male o bene, ma voglio dirle ciò che capirà da solo quando sarà stato fra di noi. In Sicilia non importa fare bene o male, il peccato che noi siciliani non perdoniamo è semplicemente il fare...

Siamo vecchi Chevalley, vecchissimi. Sono 25 secoli che portiamo sulle spalle il peso di magnifiche civiltà, tutte venute da fuori, già complete e perfezionate, nessuna germogliata da noi, da 2500 anni siamo una colonia! Il sonno è ciò che i siciliani vogliono e loro odieranno sempre chi li vorrà svegliare, anche per portare i più bei regali, anche se dubito che il nuovo governo abbia per noi dei regali...!"

"...Non le sembra di esagerare un po' principe?"

"Non nego che alcuni siciliani, trasportati fuori dall'isola, possano cambiare, bisogna farli partire però quando sono molto giovani... Io sono un rappresentante della vecchia classe... appartengo ad una generazione disgraziata, a cavallo fra vecchi tempi e nuovi, e che si trova a disagio in tutti e due. In più privo di illusioni. Che se ne fa il Senato di me? Un legislatore inesperto cui manca la facoltà di ingannare se stesso, requisito essenziale per chi voglia guidare gli altri. Lei del resto Chevalley ha ragione in tutto, si è sbagliato solamente quando ha detto che i siciliani vorranno migliorare... I siciliani non vorranno mai migliorare per la semplice ragione che credono di essere perfetti. La loro vanità è più forte della loro miseria, qualsiasi intromissione sconvolge la loro compiaciuta attesa del nulla. La ragione della diversità deve trovarsi in quel senso di superficialità che brilla in ogni occhio siciliano che noi stessi chiamiamo fierezza e che in realtà è cecità".

La presenza della Mafia in Sicilia rappresenta ancora oggi un dramma nazionale. Le origini della Mafia sono incerte e lontane come incerto è il significato del termine. Si sa però che il fenomeno era già diffuso nei primi anni dopo l'unità d'Italia avvenuta nel 1861. Sulla nascita della Mafia ci sono varie teorie, vogliamo illustrare l'ipotesi più credibile. Dopo l'unità d'Italia l'organizzazione sociale stabilita in Sicilia dai diversi dominatori stranieri finì. Il nuovo governo di Torino iniziò un cambiamento che partiva con leggi costituzionali più democratiche. I grandi latifondi di proprietà dei nobili, dove avevano lavorato generazioni di contadini sudditi e servi si disgregarono. Cominciò una nuova realtà economica in cui i cittadini erano liberi di commerciare e lavorare autonomamente. Ma mancava in Sicilia una classe borghese preparata ad organizzare queste attività mentre al nord si era già formata una categoria di commercianti e imprenditori indipendente e molto potente. Sembra dunque che le persone più capaci e competenti, perché nel passato avevano amministrato le grandi proprietà dei ricchi signori, offrirono aiuto ai contadini ignoranti. Questi organizzarono vendite, acquisti, attività lavorative e affari per le persone più incapaci ma in cambio di questa assistenza chiedevano fedeltà, riconoscenza e denaro. Così la gente più debole che si era liberata dei dominatori stranieri diventò schiava dei ricatti di questi personaggi senza scrupoli. È questa forse l'origine delle future famiglie mafiose dove il capo protegge e assicura lavoro ai membri della famiglia in cambio di favori, ubbidienza e denaro. Questo è stato possibile perché i siciliani, da sempre storicamente sfruttati, non chiedono aiuto allo Stato, che considerano un nemico, ma si fidano solamente dei rapporti interpersonali attraverso i quali pensano di risolvere ogni problema.

PAOLO BORSELLINO - giudice. Venne ucciso da un'auto bomba a Palermo il 19 luglio 1992. Con lui sono stati uccisi 5 agenti della scorta.

IL GIUDICE GIOVANNI FALCONE - magistrato. Ucciso dalla mafia il 23 maggio 1992 a Capaci, lungo l'autostrada tra Palermo e Punta Raisi. Con lui sono stati uccisi la moglie e 3 agenti di scorta.

CIVILTÀ ITALIANA

LA MAFIA - UN FENOMENO CON RADICI LONTANE

Leopoldo Franchetti (documentarista storico)

La teoria sull'origine della Mafia, che ha come fondamento anche la mentalità dei siciliani, è dimostrata da una celebre inchiesta sulla Sicilia effettuata da Leopoldo Franchetti nel 1876 per conto del governo piemontese. In questa inchiesta emergono con chiarezza i fattori ambientali, culturali, le clientele e i giochi politici su cui prospera e si diffonde la Mafia.

Dice infatti Franchetti nelle sue pagine:

"...manca nei siciliani il sentimento della legge superiore a tutti ed uguale per tutti. Loro non si considerano come un unico corpo sociale, ma come tanti gruppi di persone formati e mantenuti da legami personali. Il legame personale è il solo che capiscono, così si sviluppa il sistema delle clientele.
Chi abbia energia, astuzia, denari, relazioni negli uffici pubblici, insomma qualcosa da dare in cambio della protezione di uno più potente di lui, è certo di trovare posto nella clientela di qualche potente. Rimangono fuori isolati, esposti alle prepotenze di ognuno coloro che non possono rendersi utili in nessun modo. Tali sono in maggioranza i contadini che non possiedono niente, sono ignoranti, abbrutiti e senza iniziativa.
Così si formano unioni di persone, che senza avere nessun legame apparente, si trovano unite per promuovere un reciproco interesse indipendentemente da qualsiasi considerazione di legge e di ordine pubblico.
La Mafia dunque è un sentimento medievale, mafioso è colui che crede di potere provvedere alla tutela e alla incolumità della sua persona e dei suoi averi grazie alla sua influenza personale indipendentemente dalle autorità e dalle leggi".

La descrizione del rituale di iniziazione. Questa descrizione del rituale della fratellanza di Monreale è presa dai verbali di un processo che è stato riportato nel 1977 **da «Il Giornale di Sicilia».** «L'iniziando si inoltra nella sala e si ferma in piedi dinanzi ad una tavola sopra la quale si trova l'immagine di un Santo. Offre ai due compari (i presentatori) la mano destra e loro punzecchiano con un ago il polpastrello del pollice e ne fanno stillare tanto sangue quanto basta a bagnare l'immagine del Santo. Sopra questa effige l'iniziato presta giuramento in mezzo a segrete parole degli anziani. Dopo l'iniziato va a bruciare sulla candela la Santa immagine insanguinata. Così ha preso il suo battesimo ed è salutato compare».

LEONARDO SCIASCIA

Leonardo Sciascia è sicuramente il più importante e famoso scrittore che si è occupato della mafia scrivendo libri a volte strutturati come gialli, a volte come nuda testimonianza di complotti e delitti. Spesso si fa giudice del decadimento morale della vita politica ormai tutta "sicilianizzata" e corrotta. Sciascia è nato in Sicilia a Recalmuto vicino ad Agrigento nel 1921 ed è morto a Palermo nel 1989. Sono famosi fra gli altri libri «Todo modo», «Il contesto», «A ciascuno il suo» da cui sono stati tratti film e opere teatrali.

DA «IL GIORNO DELLA CIVETTA»

Bellodi raccontò la storia del medico di un carcere siciliano, che si era messo in testa, giustamente, di togliere ai detenuti mafiosi il privilegio di risiedere in infermeria. C'erano in carcere molti malati, alcuni addirittura tubercolotici, che stavano nelle celle e nelle camerate comuni, mentre i caporioni, sanissimi, occupavano l'infermeria per godere di un trattamento migliore. Il medico ordinò che tornassero ai reparti comuni e i malati venissero in infermeria. Né gli agenti né il direttore ubbidirono alla disposizione del medico. Il medico scrisse al ministero. Così una notte fu chiamato dal carcere, gli dissero che un detenuto aveva urgente bisogno del medico. Il medico andò. Ad un certo punto si trovò dentro al carcere, solo in mezzo ai detenuti. I caporioni lo picchiarono accuratamente, con giudizio. Le guardie non si accorsero di niente. Il medico denunciò l'aggressione al Procuratore della Repubblica, al ministero. I caporioni, non tutti, furono trasferiti ad altro carcere. Il medico fu esonerato, dal ministero, dal suo compito visto che, con il suo zelo, aveva dato luogo ad incidenti. Poiché militava in un partito di sinistra, si rivolse ai compagni di partito per averne appoggio, gli risposero che era meglio lasciare correre. Non riuscendo ad ottenere soddisfazione dell'offesa ricevuta, si rivolse allora ad un capomafia: che gli desse la soddisfazione almeno, di fare picchiare, nel carcere dove era stato trasferito, uno di coloro che lo avevano picchiato. Ebbe poi assicurazione che il colpevole era stato picchiato a dovere.
Le ragazze trovarono delizioso l'episodio. Brescianelli lo trovò terribile.

🖊 Rielabora il testo rispondendo alle seguenti domande:

Quale situazione c'era nel carcere siciliano? --

Cosa ordinò il medico? ---

Chi ubbidì al medico? --

Perché di notte chiamarono il medico in carcere? --

Cosa avvenne quando il medico arrivò in carcere? ---

A chi chiese aiuto il medico dopo essere stato picchiato? ------------------------------------

Dove furono trasferiti i capi mafia? --

A chi si rivolge il medico alla fine? ---

Ottiene giustizia? --

Qual è il significato della storia? ---

Coniuga i verbi al passato:
Libera rielaborazione da «Il Gattopardo» di Tomasi di Lampedusa

Palermo.
Il principe **(aprire)** una delle finestre. Sotto il sole forte ogni cosa **(sembrare)** priva di peso. Il mare sullo sfondo **(essere)** una macchia di puro colore. Le montagne che la notte **(apparire)** temibili, **(sembrare)** nuvole di vapore. La torva Palermo **(stendersi)** placida intorno ai conventi come un gregge ai piedi dei pastori. Nella rada le navi all'ancora **(cullarsi)** nella calma stupefatta. Il sole **(rivelarsi)** l'autentico sovrano della Sicilia, il sole violento e sfacciato, il sole narcotizzante che **(annullare)** la volontà e **(mantenere)** ogni cosa in una immobilità servile. Intorno **(ondeggiare)** la campagna gialla di stoppie. Il lamento delle cicale **(riempire)** il cielo, **(essere)** come il rantolo della Sicilia arsa che **(attendere)** la pioggia.

Termina le seguenti frasi in modo logico:

Questa è una casa priva di --

Quel quadro ha per sfondo --

Sulla camicia ho una macchia di --

I pastori pascolano ---

Le mamme cullano --

Le navi ormeggiano ---

Questo profumo è fortissimo quasi --

D'estate le cicale ---

Il deserto è arso dal --

Prima di morire ha emesso un --

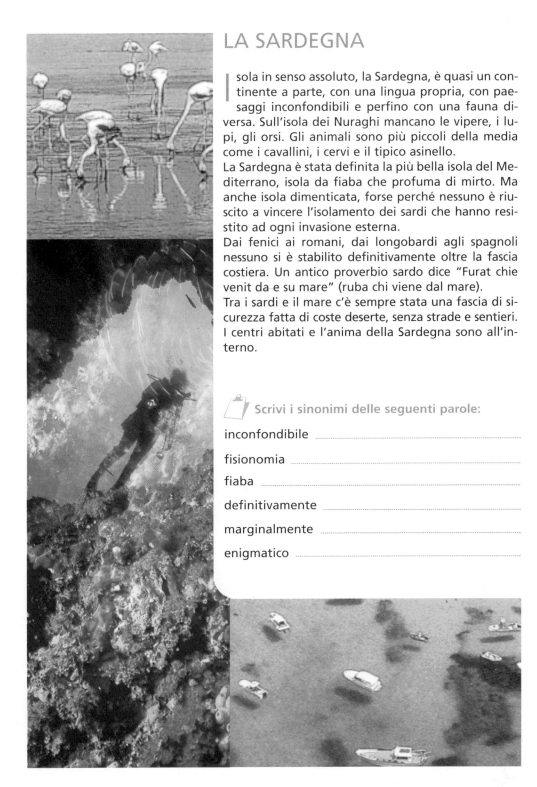

LA SARDEGNA

sola in senso assoluto, la Sardegna, è quasi un continente a parte, con una lingua propria, con paesaggi inconfondibili e perfino con una fauna diversa. Sull'isola dei Nuraghi mancano le vipere, i lupi, gli orsi. Gli animali sono più piccoli della media come i cavallini, i cervi e il tipico asinello.

La Sardegna è stata definita la più bella isola del Mediterrano, isola da fiaba che profuma di mirto. Ma anche isola dimenticata, forse perché nessuno è riuscito a vincere l'isolamento dei sardi che hanno resistito ad ogni invasione esterna.

Dai fenici ai romani, dai longobardi agli spagnoli nessuno si è stabilito definitivamente oltre la fascia costiera. Un antico proverbio sardo dice "Furat chie venit da e su mare" (ruba chi viene dal mare).

Tra i sardi e il mare c'è sempre stata una fascia di sicurezza fatta di coste deserte, senza strade e sentieri. I centri abitati e l'anima della Sardegna sono all'interno.

Scrivi i sinonimi delle seguenti parole:

inconfondibile ....

fisionomia ....

fiaba ....

definitivamente ....

marginalmente ....

enigmatico ....

IL TURISMO

Nel 1962 una parte al nord della Sardegna è stata lanciata nel mondo del turismo. Da allora 55 km di coste fra le più belle dell'isola hanno cambiato fisionomia ed è nata la Costa Smeralda, dove passano le vacanze i più facoltosi personaggi del mondo.

La caratteristica dell'isola è un paesaggio ricco di cespugli di rosmarino, di lavanda, di mirto, con pochi alberi, di solito querce da sughero e pini spesso piegati dal Maestrale. L'azione continua di questo vento di nord-ovest spazza le coste e scolpisce in strane forme le rocce di granito. La Sardegna è oggi terra di pastori ed il turismo esclusivo interessa marginalmente la gente sarda, dal carattere chiuso ed enigmatico.

CURIOSITÀ

 La Costa Smeralda

Si chiama così per il colore del suo mare, famoso per la trasparenza e i colori. Infatti la sabbia è composta dal granito sgretolato, e i piccoli cristalli, il quarzo, la pirite che sono pesanti restano depositati sul fondo del mare che non riesce a sollevarli col suo movimento. Così non inquinano l'acqua, anzi con il sole riflettono in superfice la loro lucentezza creando le sfumature di colore rosa e viola per cui questo mare è conosciuto.

La festa dei Mammutones

Si tiene a Mamoiada, in piena Barbagia, terra misteriosa e inaccessibile. Ogni anno il giorno di Sant'Antonio si rievoca un antico rito quello dei Mammutones. Uomini che si vestono con pelli di capra e campanelli e mettono sul viso maschere di legno dall'aspetto terrificante e così in gruppo fanno il giro del paese, dove ad ogni angolo è acceso un fuoco.

Si muovono saltando per far suonare i campanelli e creare un rumore ritmato. L'origine è antichissima, ma forse aveva la funzione di spaventare gli spiriti maligni che attentavano alle greggi dei pastori.

I nuraghi
Sono antichissime costruzioni a forma circolare di pietra, la cui origine si perde nella storia più remota. Erano forse villaggi fortificati e organizzati con un re pastore. Sono circa 7000, disseminati in tutta la Sardegna e uno dei più belli e meglio conservati è quello di S. Antine.

La pastorizia
Oltre alla produzione di ottimi formaggi, fornisce la lana che viene utilizzata anche per tessere i meravigliosi tappeti poi ricamati a mano, una raffinatezza dell'artigianato sardo.

Artigianato.
Vogliamo parlarne?

GAVINO LEDDA

È l'autore di un libro, "Padre padrone", che ha fatto scalpore per il suo contenuto autobiografico aprendo uno squarcio su alcuni aspetti della realtà della Sardegna. Nel libro infatti l'autore racconta la sua storia di analfabeta fino a 20 anni.
A questa età infatti si ribella alla sua condizione fino ad arrivare a laurearsi in glottologia ed a scrivere questo libro, testimonianza di un duro contrasto fra padre e figlio ed una tradizione

dura e radicata dettata dalla necessità di sopravvivere. Da questo libro è stato tratto un film, diretto dai fratelli Taviani, che ha vinto nel 1977 la Palma d'Oro al festival di Cannes. Gavino Ledda è nato a Siligo (Sassari) nel 1938.

CIVILTÀ ITALIANA

DAL LIBRO «PADRE PADRONE»
DI GAVINO LEDDA

La mia esperienza scolastica durò poco più di un mese. Una mattina di febbraio, mentre la maestra si sforzava di farmi scrivere alla lavagna, mio padre, sorretto dalla convinzione morale di essere il mio proprietario, con lo sguardo terrificante di un falco affamato, dalla strada fulminò la scuola. La raggiunse con un impeto fragoroso piombando in classe. Avanzò fino alla cattedra e salutò la maestra con un secco buon giorno. Alla sua vista gli scolari zittirono tutti sui banchi. Mio padre venne subito al sodo. La sua fierezza e la sua imponenza dominavano nell'abbigliamento pastorale. Pantaloni di fustagno, giacca di velluto liscio, scarponi e berretto rigido. I suoi occhi lampeggiarono. "Sono venuto a riprendermi il ragazzo. Mi serve a governare le pecore e a custodirle... è mio... Questa è stata da sempre la storia di noi pastori!... Anch'io ho trascorso la mia infanzia così. Sono diventato adulto prima del tempo e gli anziani mi hanno usato come guardiano contro gli assalti della volpe in pieno inverno..." A questo punto seguì un momento di silenzio. La maestra e gli alunni sembravano volerselo ascoltare quel silenzio terribile. "Saprò fare di lui un ottimo pastore, capace di produrre latte, formaggio e carne. Lui non deve studiare, ora deve pensare a crescere. Quando sarà grande farà la quinta prima di arruolarsi. Lo studio è roba da ricchi, quello è per i leoni e noi non siamo che agnelli". I miei compagni ascoltavano questo focoso e irruento discorso, quasi fosse il primo fulmine e il primo tuono del ciclone che fra poco si sarebbe abbattuto sulla loro futura esistenza. Io me ne stavo lì paralizzato, davanti alla lavagna, come se quel discorso mi avesse inchiodato i piedi alla predella. Di colpo però, di fronte al terribile discorso della realtà, non ho potuto fare altro che piangere ed aggrapparmi alla maestra con la faccia affossata sul mio braccio destro. La maestra mi lasciò sfogare un po' nel pianto e subito cominciò a preparami anche lei alla triste realtà persuadendo la mia innocenza. "Diventerai un grande pastore. Tuo padre ti insegnerà a mungere le pecore e le mucche. Sono belle sai... In campagna poi ci sono tanti fiori, molta erba e tanti alberi pieni di uccelli che pigolano e cantano, fanno i nidi nei cespugli e per terra e tu ne potrai prendere quanti ne vorrai. Qui a Siligo non c'è nulla." Mi sussurrò queste parole lisciandomi i capelli, cercando di calmare il mio pianto, asciugandomi le lacrime con il suo fazzoletto. Mio padre stava lì rigido, ma dalla sua rigidezza traspariva un insopportabile imbarazzo e come per vincere il suo stato di disagio mentre si allontanava spingendomi verso la porta, non poté fare a meno di cercare altre giustificazioni di fronte alla maestra e agli scolari storditi dal discorso. "Io ho bisogno di lui in campagna. Il ragazzo è mio e lo prendo e lo uso perché non posso farne a meno. Mi sento tranquillo. È la legge che non è tranquilla. Vuole rendere la scuola obbligatoria. La povertà ... quella è obbligatoria!" Con le lacrime agli occhi diedi l'ultimo sguardo penetrante a tutta l'aula, quasi me la volessi portare via passando frettolosamente in rassegna i banchi.

Riflessioni sulle espressioni:

... quasi fosse il primo fulmine...

... quasi me la volessi portare via...

... io me ne stavo lì...

Rispondi alle domande:

Dove si svolge il fatto? _____

Quale classe frequentava Gavino? _____

Cosa stava facendo la maestra quando entra in classe il padre del bambino? _____

_____

Come era vestito il padre di Gavino? _____

Perché vuole portare via dalla scuola Gavino? _____

Qual è la reazione dei bambini alla vista del pastore? _____

Qual è la reazione della maestra? _____

Qual è quella di Gavino? _____

Considerazioni personali sul significato della storia:

LE PICCOLE ISOLE

Oltre alle due isole maggiori, la Sicilia e la Sardegna, intorno alla penisola ci sono molti arcipelaghi e isolette note in tutto il mondo.

L'arcipelago toscano con l'isola d'Elba, dove si trovano dei modesti giacimenti di ferro e l'isola del Giglio intorno alla quale il mare forma piscine naturali. L'arcipelago delle isole ponziane dinanzi al Lazio, la cui isola più nota è Ponza, paradiso dei subacquei.

Dinanzi a Napoli c'è la famosissima Capri già frequentata dagli antichi romani e oggi raffinatissima meta di turismo ad altissimo livello. Ischia nota per le sue acque termali, poi Procida antica isoletta di pescatori ancora intatta nelle sue caratteristiche.

A nord della Sicilia le Eolie, di origine vulcanica si stagliano con il nero della pozzolana contro il blu del mare. Fra queste l'isola di Stromboli offre lo spettacolo del suo pennacchio perennemente fumante e di grotte in cui l'acqua ha sfumature viola. Pantelleria e Lampedusa si trovano fra la Sicilia e l'Africa: l'una nera di roccia vulcanica e quasi inavvicinabile dal mare, qui si coltivano le piante di capperi e il famoso vino passito dolce di Pantelleria, l'altra, dove è possibile ancora vedere le tartarughe marine, è piccolissima e totalmente bianca con insenature da sogno. Pittoresche le isole Tremiti dinanzi al promontorio del Gargano nel Mar Adriatico.

Abbiamo rivolto alcune domande sulle nostre isole al sig. Cavaliere, grande esperto di mare, e direttore commerciale di un noto cantiere di nautica da diporto, «Fiart Mare» di Napoli.

Sig. Cavaliere, lei che ha navigato per molti mari ed è un profondo conoscitore delle isole italiane ci può svelare qualche segreto?

«Sì, volentieri, fra le isole che preferisco ci sono le Eolie, isole di origine vulcanica. A Stromboli è possibile fare un'escursione fino alla bocca del cratere ed affacciarsi su uno spettacolo unico e terrificante, dove il magma e la lava ribollono minacciosamente. A Vulcano ci sono perfino delle pozze di acque sulfuree dove molte persone si immergono e si coprono di benefici fanghi che, oltre a lenire dolori e malattie reumatiche, rendono la carnagione liscia e luminosa. Neanche a dirlo le signore sono le frequentatrici più numerose».

È vero che molti romani passano il fine settimana a Ponza?

«Sì, perché è facilmente raggiungibile con l'aliscafo da Anzio e il mare è di cristallo. A Ponza è possibile visitare le Murenarie, grotte naturali all'interno delle quali in appositi cunicoli venivano ricavati pozzi dove si allevavano le murene».

Vale veramente la pena visitare Capri?

«A Capri sono interessanti le ville degli antichi imperatori romani ed è possibile scendere fino ai Faraglioni, due spettacolari scogli che spuntano dal mare, ma per arrivarci ci vogliono gambe e fiato perché ci sono 300 gradini da fare».

È vero che molti personaggi famosi hanno ville a Pantelleria?

«Sì, è vero! Le case tradizionali sono i dammusi, bianche e con il tetto a cupola sia per mantenere fresco l'ambiente sia per convogliare in apposite cisterne l'acqua piovana. Molte di queste abitazioni sono state trasformate in lussuose ville per le vacanze, senza che lo stile venisse alterato».

Un'ultima domanda, lei dove si rifugia per non trovare la confusione dei turisti e rilassarsi veramente?

«A Ustica, dove tutto è rimasto come una volta!».

ELSA MORANTE 1918-1981

È tra le scrittrici più famose degli ultimi decenni, una delle prime a rivendicare i diritti delle donne. Spesso nei suoi romanzi si avverte, attraverso una rappresentazione del reale, il fascino dell'ideale e del mito come nella descrizione dell'isola di Procida nel suo libro più famoso, «L'isola di Arturo». Altre opere sono «Il mondo salvato dai ragazzini» e «La storia».

DA «L'ISOLA DI ARTURO»
DI ELSA MORANTE

Le isole del nostro arcipelago, laggiù, sul mare napoletano, sono tutte belle.

Le loro terre sono per gran parte di origine vulcanica e specialmente in vicinanza di antichi crateri nascono migliaia di fiori spontanei. Su per le colline verso la campagna, la mia isola ha straducce solitarie chiuse fra muri antichi, oltre i quali si stendono frutteti e vigneti che sembrano giardini imperiali. Ha varie spiagge dalla sabbia chiara e delicata e altre rive più piccole coperte di sassolini. Intorno al porto, le vie sono tutte vicoli senza sole, fra le case rustiche e antiche di secoli che appaiono scure e tristi, sebbene tinte da bei colori.(...)

Nel nostro porto non attraccano quasi mai quelle imbarcazioni eleganti, da sport o da crociera, che popolano sempre in gran numero gli altri porti dell'arcipelago; vi vedrai dei barconi o barche da pesca degli isolani.(...)

Mai, neppure nella buona stagione, le nostre spiagge solitarie conoscono il chiasso dei bagnanti che, da Napoli e da tutte le città e da tutte le parti del mondo, vanno ad affollare le altre spiagge dei dintorni.(...) e se per caso uno straniero scende a Procida si meraviglia di non trovarvi quella vita allegra, feste e conversazioni per le strade, e canti e suoni di chitarre e mandolini per cui la regione di Napoli è conosciuta su tutta la terra. (...)

L'amicizia da noi non piace. E l'arrivo di un forestiero non desta curiosità ma piuttosto diffidenza. (...) Gli abitanti di Procida vivono fra quattro mura ma senza interessarsi degli altri. Sono di razza piccola, bruni, occhi neri e allungati e si direbbero tutti parenti fra loro tanto si assomigliano. Le donne, secondo l'usanza antica, vivono in clausura come le monache. Molte di loro portano ancora i capelli lunghi, lo scialle in testa, le vesti lunghe (...) .

Esse non scendono mai alle spiagge; per le donne è peccato bagnarsi nel mare, e perfino vedere gli altri che si bagnano è peccato.

Riflessione sulle parole: straducce - sassolini

📋 Descrivi le caratteristiche di un mare che conosci scegliendo fra questi aggettivi:

MARE

trasparente   freddo
caldo   pescoso
limpido   inquinato
mosso   agitato
calmo   pulito
profondo   pericoloso

Descrivi il tipo di costa che preferisci scegliendo fra questi aggettivi:

LA COSTA

bassa e sabbiosa   sassosa
rocciosa   selvaggia
boscosa   organizzata con
con piccole   ombrelloni e
insenature   sedie a sdraio
                    con spiagge
                    con grotte

Prova a costruire una piccola storia con queste parole trovando i verbi necessari:
auto, amici, Rimini, spiaggia, ombrellone, sdraio, abbronzante, occhiali da sole, costume da bagno, nuotata, grande appetito, piadina, vino bianco, discoteca, notte fonda

----

Quali fra questi sono i venti più comuni in Italia?

☐ la Bora   ☐ il Ponente
☐ la Tramontana   ☐ lo Scirocco
☐ il Maestrale   ☐ il Grecale

Quali barche preferisci?

☐ a vela   ☐ la canoa
☐ a remi   ☐ a motore

Come si misura la distanza in mare?

☐ in chilometri
☐ in miglia
☐ in metri

Come si misura la velocità di una barca e del vento?

☐ in nodi
☐ in chilometri
☐ in metri

Civiltà italiana

Parte Seconda

L'ITALIA NELLA STORIA

CENNI DI STORIA
I PIU' ANTICHI ABITANTI DELLA PENISOLA ITALIANA

più antichi abitanti della penisola italiana sono forse i Liguri, che vi si stabiliscono intorno al 2000 a.C., e i Sardi che danno origine alla misteriosa civiltà Nuragica in Sardegna. Gli Etruschi meritano un cenno a parte: questi ultimi, a partire dal 900 a.C. occupano il territorio fra il Tevere e l'Arno raggiungendo a nord la pianura padana e a sud parte del Lazio, nasce così una civiltà estremamente originale e sofisticata.
Nello stesso periodo sulle coste meridionali del mare Tirreno, dello Ionio e su parte della Sicilia i Greci fondano molte colonie che prendono il nome di Magna Grecia.
Sempre su parte della Sicilia e della Sardegna un altro antico e famoso popolo, quello dei Fenici fonda alcune importanti città.

Rileggi il brano usando i verbi al passato remoto.

I FENICI

Fenici provenivano dalle coste dell'attuale Libano, abilissimi navigatori perfezionarono la tecnica marittima con l'invenzione della chiglia, l'uso del timone e della vela. L'espansione commerciale fenicia raggiunse il massimo sviluppo nel VII sec a. C. periodo in cui fondarono numerose colonie, punto di incontro delle maggiori vie commerciali. Scambiarono merci come i gioielli, la porpora, il vetro, i legni pregiati, le armi provenienti dal sud del Sahara, dall'Arabia, dall'Asia fino al Mediterraneo dove questi prodotti erano famosi. I Fenici hanno lasciato tracce in Sicilia e in Sardegna. In Sardegna, vicino al golfo di Oristano, fondarono la città di Tharros, un porto che risale a 800 anni a.C., dove sono state rinvenute maschere di terracotta, amuleti in avorio, gioielli di pasta vitrea e oro di fattura estremamente raffinata. In Sicilia, Palermo fu un'altra stazione commerciale creata dai Fenici.

Spiega il significato delle seguenti espressioni con sinonimi:

Abilissimi navigatori ....

Lasciare tracce ....

Un porto che risale ....

In Sardegna fondarono ....

Sono state rinvenute ....

Disegna la chiglia, il timone e la vela di una barca:

LE COLONIE GRECHE

La ricerca di nuove terre e il desiderio di ampliare i commerci, fra il VII e il VI sec. a.C., spingono i greci lungo le coste del mare Mediterraneo dove fondano numerose colonie. La colonizzazione svolge un ruolo fondamentale nella diffusione della cultura greca. Le colonie sono completamente autonome dalla madre patria pur mantenendo con essa legami commerciali. Scambiano le preziose ceramiche e i prodotti di lusso con grano, ferro e materie prime e si specializzano nella produzione del vino e dell'olio. Fra le colonie più note ricordiamo: Siracusa, Taranto, Metaponto, Locri. Proprio Siracusa, fondata nel 734 a.C. da coloni greci, conserva ancora molte tracce di questa splendida civiltà, fra cui il teatro, che poteva contenere ben 15.000 persone. Siracusa nella sua lotta contro l'invasione romana ebbe fra i difensori il famoso scienziato Archimede.

ARTE
I BRONZI DI RIACE

Nel 1972 un subacqueo ha scoperto nei fondali delle acque di Riace Marina, in Calabria, a pochi metri dalla costa, due statue di bronzo che affioravano dalla sabbia. Dopo un accurato restauro che gli ha restituito la primitiva bellezza sono state esposte nel museo archeologico di Firenze e infine collocate nel Museo Nazionale di Reggio Calabria. Gli studi per stabilire le origini delle statue non hanno portato a conclusioni definitive. Di certo si sa solo che si tratta di due splendidi guerrieri di età classica, eseguiti da autori diversi, forse nel V sec. a.C.

LA VALLE DEI TEMPLI DI AGRIGENTO

Celebrata dai poeti come la città più bella dei mortali, Agrigento è universalmente nota per la valle dei templi. In nessun altro luogo, nemmeno in Grecia, è possibile vedere riuniti così tanti edifici sacri. Eretti in tufo arenario conchiglifero, che alla luce del tramonto ha i toni caldi dell'ambra, i templi volgono ad oriente la loro fronte principale.

ARCHIMEDE

Archimede fu un grandissimo matematico e fisico greco vissuto a Siracusa. È universalmente noto per la teoria delle leve (celebre è la frase "datemi una leva e vi solleverò il mondo") e per il teorema di un corpo immerso in un liquido detto il "principio di Archimede". Una storia narra che Archimede abbia scoperto tale principio mentre faceva il bagno e che sia corso nudo per le strade gridando *"Eureka"* = ho trovato!
Venne ucciso da un soldato romano nei giorni della conquista della città che egli aveva contribuito a difendere con l'invenzione della catapulta e degli specchi ustori.

Quale ausiliare puoi usare con il verbo «correre»?

Come potresti cambiare l'espressione verbale «venne ucciso»?

Trova i sinonimi delle seguenti parole:

Affiorare --

Accurata --

Primitiva --

Collocato --

Eseguito --

Guarda le statue dei Bronzi ed elenca le parti del corpo che conosci:

Cos'è il tufo arenario conchiglifero?

Conosci altri tipi di materiali per costruire edifici o statue?

Spiega il significato delle parole: catapulta, specchi ustori, leva.

GLI ETRUSCHI

D ella civiltà etrusca non è rimasto molto, sopravvivono solamente alcune opere d'arte e qualche migliaio di iscrizioni di cui solo poche parole sono state decifrate. Non si conosce la provenienza di questo popolo ma sembra che si sia stabilito in Italia 800 anni circa a. C.

Dal modo in cui sono rappresentati sui vasi ritrovati nelle tombe, gli Etruschi ricordano la gente dell'Asia minore. Molti sostengono che arrivarono dal mare poiché furono i primi, fra gli abitanti dell'Italia, ad avere una flotta. Le città che costruirono: Tarquinia, Perugia, Arezzo, Volterra erano molto moderne, avevano bastioni per difendersi, strade, fogne ed erano progettate da esperti ingegneri che elaboravano i piani urbanistici.

Gli etruschi erano dei mercanti, attaccati ai soldi e usavano la moneta come mezzo di scambio. Le scene riprodotte sui vasi ci mostrano uomini ben vestiti, con quella toga che poi i romani copiarono.

Avevano capelli lunghi e barbe inanellate, molti gioielli ai polsi, al collo, alle dita ed erano sempre pronti a mangiare, a bere, a conversare e a praticare sport.

Le donne erano molto emancipate, godevano di grande libertà e partecipavano alla vita pubblica e ai divertimenti. Erano inoltre colte ed esperte di medicina e matematica. Secondo la religione degli Etruschi dopo la morte continuava la vita terrena; per questo, sui sepolcri sono raffigurate scene di banchetti e vicino ai sarcofagi venivano lasciati oggetti per mangiare.

Politicamente le città etrusche rimasero separate e governate ognuna da un re chiamato Lucumone finché furono sopraffatte dai romani che da loro copiarono molte tecniche di costruzione e strutturazione delle città.

Quali regioni ci sono oggi nelle zone una volta abitate dagli Etruschi, dai Fenici, dai Greci?

Fai esempi utilizzando le seguenti parole o verbi:

sopravvivere - decifrare - fogne - stabilirsi - elaborare - rappresentare - colto - urbanistico - raffigurare - bastioni - flotta - difendersi - suppellettili

----

ARTE
L'IPOGEO DEI VOLUMNI

Le tombe etrusche sono la testimonianza più alta di una civiltà che ancora, per molti aspetti, è rimasta misteriosa. Infatti, grazie all'osservazione degli affreschi e degli oggetti ritrovati all'interno delle tombe possiamo seguire l'evoluzione di questo popolo.

Le opere architettoniche rimaste sono purtroppo scarsissime, ma da queste sappiamo che gli Etruschi introdussero l'uso dell'arco e della volta.

Tra le tombe scoperte nella zona intorno a Perugia spicca per importanza e bellezza l'Ipogeo dei Volumni, scoperto nel 1840 da un contadino che stava arando il campo. L'Ipogeo risale forse al II sec. a.C. e fu così chiamato dal nome di Arunte Volumnio, capostipite della famiglia gentilizia. È composto da una serie di ambienti sotterranei che ricordano la disposizione e la forma di una casa romana. Nell'atrio sono contenute le urne scolpite dei Volumni, tra le quali, la più pregevole è quella di Arunte rappresentato adagiato sul letto funebre. Intorno a lui vi sono i figli, i nipoti e la figlia Velia Volumnia seduta al suo fianco.

L'ARCO ETRUSCO

Si tratta di una delle opere più maestose dell'architettura etrusca. È una porta inserita nelle antiche mura della città che risale nella parte inferiore al III o IV sec. a.C. La porta e le due torri che la fiancheggiano sono costituite da enormi massi posti l'uno sopra l'altro a secco. L'arco sovrastante è formato da grandi pietre a forma di cuneo. Più in alto, sopra il fregio di scudi, si eleva un secondo arco di epoca romana con la celebre iscrizione "AUGUSTA PERUSIA" diventata uno dei simboli della città. L'elegante loggetta a sinistra è invece di epoca rinascimentale.

LA LEGGENDA DELLA FONDAZIONE DI ROMA

Dopo la distruzione della città di Troia, Enea figlio del re fuggì verso la nostra penisola e approdò sulle coste del Lazio, vicino al Tevere, dove suo figlio fondò la città di Alba Longa. Anni dopo mentre regnava in questa città il suo discendente Numitore, il dio Marte si innamorò di Rea Silvia che era nipote del re e sacerdotessa di Vesta. Da questo amore nacquero due gemelli. Ma il re, poiché Rea Silvia aveva tradito il suo voto di vestale, la fece murare viva e ordinò ad un servo che i neonati venissero uccisi.

L'uomo, però, non ebbe il coraggio di farlo e li abbandonò in una cesta di vimini nel fiume Tevere sperando che qualcuno li salvasse.

Infatti la corrente portò a riva la cesta e una lupa che si aggirava per la foresta li trovò e li allattò.

Nel bosco abitava un pastore, Faustolo, che una notte sentendo un rumore uscì dalla sua capanna e si trovò dinanzi la lupa e i due neonati, allora li prese e li allevò con amore.

Romolo e Remo una volta cresciuti, conobbero la loro storia e decisero di fondare (dove erano cresciuti) una nuova città. Ma chi le avrebbe dato il nome?

Stabilirono che glielo avrebbe dato chi avesse visto lo stormo più grande di uccelli.

La fortuna favorì Romolo che prese un aratro e sul Colle Palatino tracciò il solco per segnare la cinta della città.

Era il 21 aprile 753 prima che nascesse Cristo.

Romolo aveva ordinato che nessuno oltrepassasse il solco senza il suo permesso, ma Remo, un po' per scherzo un po' per gelosia, lo saltò e ridendo disse: "Hai visto come è facile?". Romolo pieno d'ira lo uccise dicendo che chi offendeva il nome di Roma doveva morire. Romolo rimasto solo governò saggiamente la città finché un giorno, durante un temporale scomparve rapito dal Dio Marte.

Prova a raccontare come è nata la tua città d'origine:

----

	da una lupa	del Re di Troia	della sacerdotessa Rea Silvia	aveva offeso il nome di Roma
Enea era figlio...	◯	◯	◯	◯
Il Dio Marte si innamora...	◯	◯	◯	◯
Romolo e Remo furono allattati...	◯	◯	◯	◯
Romolo e Remo erano figli...	◯	◯	◯	◯
Romolo uccise Remo perché...	◯	◯	◯	◯

CENNI DI STORIA
LE CONQUISTE DI ROMA

A partire dal 150 a.C. Roma estende le sue conquiste nel Mediterraneo orientale per controllarne i commerci. La conquista della Gallia è dovuta invece alla volontà di Giulio Cesare di acquistare forza militare, prestigio e il denaro necessario per imporre il proprio potere personale.

Ottaviano Augusto, successore di Cesare, durante il suo governo lavora politicamente per consolidare i confini dell'impero. Delega funzionari dipendenti direttamente dall'Imperatore a controllare e governare le province. Nel 117 d.C. con l'Imperatore Traiano l'impero raggiunge la massima estensione, si diffondono la lingua e la cultura romana, di cui sono testimonianza i numerosi resti di teatri, anfiteatri, terme e acquedotti.

La massima espansione dell'Impero romano

- Italia
- Province
- Territori acquisiti
- Territori acquisiti tra il 14 e 117
- Territori orientali conquistati da Traiano tra il 114 e il 117 poi subito abbandonati

CONQUISTARE - CONSOLIDARE - CONTROLLARE
Quale valore hanno questi tre verbi nella storia romana?

LA CIVILTÁ ROMANA

L a civiltà romana è caratterizzata da un notevole sviluppo urbano. La città romana riproduce spesso la pianta dell'accampamento militare quadrata o rettangolare ed è circondata da mura in cui si aprono 4 porte che si collegano alle vie principali. Al centro della città sorgono il foro, il teatro, le terme, i templi.

In Italia i romani inizialmente utilizzano le strade etrusche o greche lastricandole, in seguito estendono la rete stradale a tutte le regioni dell'Impero, con strade in genere non lastricate, ma dotate di pietre miliari. Il percorso principale compie il giro del Mediterraneo, da dove si diramano le vie provinciali che hanno un ruolo economico civilizzatore, ma anche strategico militare. La lingua e la moneta comuni, i numerosi porti, contribuiscono a sviluppare un'estesa area economica in cui circolano svariate merci e prodotti senza barriere doganali. I traffici si estendono fino all'Oriente attraverso le vie carovaniere che permettono di fare arrivare le merci più lussuose, come la seta, le gemme preziose e le spezie. Nella propria espansione i romani lasciarono sempre una certa autonomia culturale nei paesi conquistati, cercando di trovare collaborazione e utilizzando funzionari locali per gestire l'amministrazione.

CURIOSITÀ

❗ Le grandi strade costruite dai Romani prendevano di solito il nome del console che ne aveva iniziato la costruzione, come ad esempio la Flaminia, la Via Appia ecc... Per quanto riguarda la Salaria, una delle più note ed utilizzate ancora oggi, questa deve il suo nome alla sua funzione, infatti metteva in comunicazione il litorale romano con le regioni dell'interno e quindi permetteva il trasporto del sale, che era uno dei prodotti fondamentali per l'alimentazione e la conservazione dei cibi nel mondo antico.

❗ **Le case dei Romani**

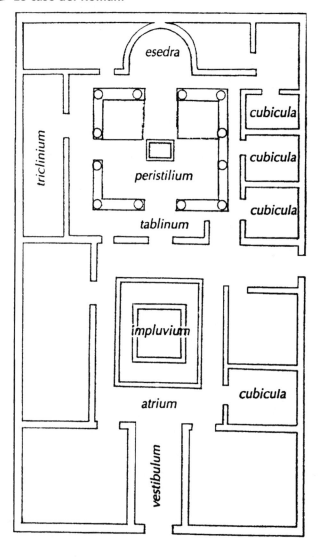

A seconda delle possibilità economiche le abitazioni si dividevano in tre tipi: l'**insula**, la **domus**, e la **villa**. La casa popolare era a più piani e si chiamava «insula», da cui deriva il termine «isolato». Erano costruzioni senza finestre, avevano al centro un cortile dove era un pozzo per attingere acqua e una latrina per gettare i rifiuti. La gente vi rientrava solo per dormire e passava la giornata all'aperto. A pianterreno c'erano i laboratori degli artigiani. «La Domus» era la casa dei ricchi circondata da mura senza finestre e illuminata dai cortili interni.

Era composta da un **vestibulum** (ingresso), un **atrium** (spazio aperto con una vasca per raccogliere l'acqua piovana chiamata **impluvium**).

Un **tablinium** (sala da ricevimento) e un **triclinium** (sala da pranzo).

Un **peristilium** (cortile e giardino) e molte **cubicula** (camere da letto). Queste case erano arricchite da affreschi, mosaici e statue.

«La villa» era la casa di campagna di solito sontuosa e spesso in riva al mare o ai laghi. **Esedra** era la sala da conversazione.

Quali sono gli elementi più importanti della civiltà romana?

	vero	falso
Le strade	☐	☐
La moda	☐	☐
La lingua	☐	☐
I numeri	☐	☐
La moneta	☐	☐
I porti	☐	☐
I carri	☐	☐
Il Foro	☐	☐
Le terme	☐	☐
Le vacanze	☐	☐

Disegna la pianta della tua casa con i nomi di ogni stanza e descrivila con l'aiuto di queste parole: cucina, salotto, sala da pranzo, studio, mansarda, atrio, serra, spogliatoio, bagno, camera da letto, taverna, soffitto, cancello, giardino, ringhiera, scala, pavimenti, parco, persiane, sportelloni, attico, villa, appartamento, termosifone, piscina, corridoio.

ARTE
IL COLOSSEO

L'anfiteatro Flavio, chiamato comunemente Colosseo, fu iniziato da Vespasiano nel 72 e completato da Tito nell'anno 80 d. C. e poteva contenere fino a 50.000 spettatori.
È il più grande monumento dell'Impero Romano ed è considerato il simbolo di Roma. È costruito in tufo e laterizio e ricoperto di travertino. Il suo nome deriva forse dalla grandezza o forse dalla vicinanza di una statua di Nerone alta 36 metri.
L'architettura esterna è costituita da tre piani di arcate di ordine

Dorico, Ionico e Corinzio e da un quarto piano con finestre rettangolari chiamato attico. All'interno vi sono tre ordini di gradinate sulle quali sedeva il pubblico che assisteva agli spettacoli dei gladiatori che lottavano contro le belve. Questi spettacoli crudeli divennero presto uno degli svaghi preferiti dal popolo romano.

I MOSAICI DI PIAZZA ARMERINA

La villa del Casale è il più importante monumento romano in Sicilia. L'edificio aveva una funzione residenziale ed era composto di sale, gallerie, terme, corridoi.
È ricco di rappresentazioni realizzate con la tecnica del mosaico che testimoniano il ritmo della vita quotidiana. Alcuni mosaici illustrano l'otium della fàmiglia, scene di caccia, di giochi, di banchetti, ecc.

GIULIO CESARE

Caio Giulio Cesare, nato nel 100 a.C. era alto, di colorito pallido, con occhi neri ed acuti. Era un abile cavaliere ed aveva una straordinaria capacità di sopportare le fatiche. Dormiva all'aperto ed era più coraggioso di ogni soldato dei suoi eserciti, le truppe per questo lo adoravano e lo avrebbero seguito ovunque. Quest'uomo senza pari, di cui Shakespeare disse «l'uomo più nobile che sia vissuto nel corso dei tempi...», eccelleva in tutto quanto faceva. Fu al tempo stesso un generale, uno statista, un giurista, un oratore, un poeta, uno storico, un matematico, un architetto. Fu anche gentile e munifico, più generoso di qualsiasi altro governante della storia antica, sia con i nemici sconfitti che con i trasgressori delle leggi. I suoi successi militari e la sua grande popolarità, specialmente dopo che fu nominato senatore a vita, allarmarono il Senato timoroso che Giulio Cesare volesse mettere fine alla repubblica. Si organizzò quindi una congiura e nel mese di marzo del 44 a.C. Cesare fu pugnalato in Senato da un gruppo di senatori guidati dal figlio adottivo Bruto. Sembra che nel vedere il figlio Cesare smettesse di difendersi sussurrando la celebre frase «Quoque tu Brute fili mi!» (anche tu Bruto, figlio mio!).

Specifica qual è il significato delle seguenti parole:

Architetto ....

Generale ....

Oratore ....

Giurista ....

Poeta ....

Storico ....

Matematico ....

Senza pari ....

Munifico ....

OTTAVIANO AUGUSTO

Dopo un periodo di guerra civile, dovuta all'uccisione di Cesare, l'eredità di costui passò al nipote Ottaviano.

Ottaviano accettò i titoli di "princeps" (primo cittadino) e di "Augustus", (da venerare).

Si dedicò a consolidare i confini dell'impero e si servì di validi collaboratori da inviare nelle province affinché ne favorissero la crescita civile. Inoltre utilizzò collaboratori locali eletti dal popolo che così partecipava alla vita pubblica. Questo grande stato comprendeva 27 province e riuniva i popoli di 3 continenti: Europa, Asia, Africa. Roma era CAPUT MUNDI (a capo del mondo).

Si dedicò inoltre a proteggere le arti ed i poeti e ad abbellire Roma utilizzando il marmo per costruire templi e teatri. Nella vita era molto semplice, beveva poco vino, riposava dopo i pasti, di notte lavorava a lungo. Era piccolo di statura, i capelli biondi e ricci, gli occhi chiari e brillanti, il naso lungo, i denti radi. Augusto morì nel 14 d.C. e per due secoli la pace fu assicurata. Durante il suo impero vi fu un lungo periodo di pace ricordato con la costruzione dell'Ara Pacis che ancora oggi si può ammirare a Roma.

Scrivi il brano utilizzando il presente storico:

CICERONE

Famoso per le sue capacità oratorie che apprese probabilmente a Rodi e ad Atene, occupò molte cariche importanti durante l'ultimo periodo della Repubblica fino a divenire console nel 63 a. C. Durante il suo mandato represse la congiura organizzata da Catilina, uomo ambizioso, che voleva impadronirsi del potere a Roma. Cicerone lo denunciò con grande fermezza e coraggio nelle sue famose orazioni "In Catilinam", appassionata difesa del sistema democratico. Le Catilinarie sono ancora oggi un classico esempio di stile forense ed hanno avuto una grande influenza nell'arte oratoria del mondo occidentale. Le opere di Cicerone sono state tradotte in moltissime lingue.

 Scrivi i nomi che derivano dai seguenti verbi:

Esercitare ──

Denunciare ──

Riscontrare ──

Reprimere ──

Apprendere ──

CURIOSITÀ

L'arte dell'eloquenza nei giuristi classici

Secondo il famoso studioso Schulz i giuristi del periodo classico usano nel parlare uno stile elegante ma serio, rapido, corretto e puro. La retorica è evitata.
Le sentenze sono brevi, la terminologia è fissa, lo scopo principale è la chiarezza e l'obiettività. I giuristi possiedono una lingua quasi matematica che ammette una sola parola per ciascun concetto giuridico. Il risultato è una lingua sorprendentemente chiara, breve, acutissima e tagliente. Tuttavia del tutto semplice.

CENNI DI STORIA
LA FINE DELL'UNITÁ DELL'IMPERO ROMANO

Verso la fine del III secolo d. C. l'imperatore Diocleziano divide l'impero in quattro grandi prefetture, due in oriente e due in occidente per rendere più facile ed efficace il controllo e la difesa delle frontiere. L'imperatore Costantino proclama il Cristianesimo religione di Stato ed i Vescovi assumono anche la veste di funzionari pubblici. Roma inizia la sua decadenza, l'impero d'Occidente resiste agli attacchi delle popolazioni straniere fino al 476. Dopo questo periodo inizia il Medioevo che durerà fino al 1492, anno della scoperta dell'America.

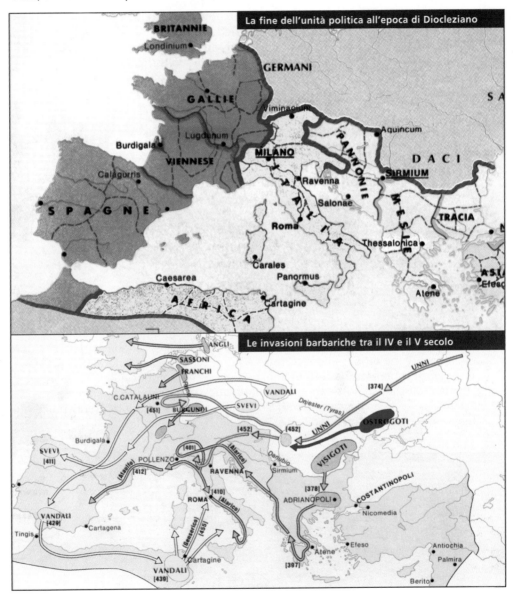

La fine dell'unità politica all'epoca di Diocleziano

Le invasioni barbariche tra il IV e il V secolo

CENNI DI STORIA
L'IMPERO ROMANO D'ORIENTE E I LONGOBARDI

L'impero d'oriente è più vitale, ha i commerci più fiorenti e attivi ed è il vero erede dell'impero romano. La città di Bisanzio, odierna Costantinopoli, è ricca ed evoluta, con un governo efficiente e leggi chiare. L'imperatore bizantino Giustiniano per riconquistare Roma e l'Italia manda il suo esercito contro i barbari, popolazioni nomadi provenienti dal nord Europa, e pone la sua sede a Ravenna. In questa città restano ancora tracce importanti dell'arte bizantina. L'impero resisterà fino all'arrivo dei Longobardi. La fama di Giustiniano è legata, soprattutto, alla raccolta delle leggi in un primo codice civile, il "Corpus Iuris Civilis" che è ancora oggi fondamento dei codici civili di molti Stati.

L'impero d'Oriente dopo le conquiste di Giustiniano (565)

Territori dell'Impero d'Oriente fino a Giustiniano

Territori annessi da Giustiniano

L'ARTE

A Ravenna sorgono grandiosi edifici costruiti riutilizzando marmi e colonne di antichi templi pagani. Le chiese si adornano di preziosi mosaici a fondo oro che raffigurano scene religiose e personaggi della corte imperiale.

L'arte bizantina si distacca dal realismo dell'arte romana e diventa simbolica e spirituale. Famoso è il ritratto dell'imperatrice Teodora, moglie di Giustiniano, con il suo seguito nei mosaici della splendida basilica di San Vitale a Ravenna.

CURIOSITÀ

 I Longobardi

Anche questo popolo veniva dal nord Europa; sarebbe sceso verso sud alla ricerca di territori fertili.

I longobardi erano biondi e robusti. Portavano barbe e capelli lunghi e si rapavano la nuca, indossavano ampie vesti di lino e stivaloni di cuoio. Divisi in tribù con a capo un duca, si combattevano spesso fra loro.

Adoravano il sole e la terra ma erano tolleranti in fatto di religione.

La discesa dei Longobardi in Italia iniziò nel 568 d.C.. Arrivarono fino a Spoleto e a Benevento e mentre avanzavano in ogni territorio conquistato il re nominava un Duca.

Territori del Regno Longobardo
Territori bizantini
La Tunisia rimase bizantina fino al 670, poi fu conquistata dagli Arabi
Regno dei Franchi e stati tributari dei Franchi (come la Baviera)
● Città sedi di duchi o gastaldi longobardi
‡ Monasteri

 La donazione di Sutri

Spesso i Duchi mostravano il desiderio di indipendenza dal sovrano. Durante un tentativo di rivolta dei ducati di Spoleto e Benevento il re longobardo Liutprando tentò di conquistare Roma. Il Papa Gregorio II allora gli andò incontro in segno di pace.

Liutprando, soggiogato dalla personalità del Papa, si inginocchiò ai suoi piedi e depose la corona in segno di ubbidienza e rispetto. Nel 728 donò al pontefice la cittadina di Sutri. Gli storici fanno risalire a questo episodio l'inizio del potere temporale dei Papi.

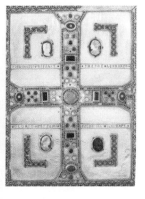

📋 **Indica quali regioni ci sono oggi nei territori occupati dai Longobardi:**

....

....

....

....

CENNI DI STORIA
CARLO MAGNO IN ITALIA E L'AVANZATA DEGLI ARABI

Dopo la caduta dell'Impero romano d'Occidente restano a difendere il territorio contro i barbari le autorità religiose. L'Italia è divisa fra Bizantini e Longobardi. Per proteggersi in particolare dalla presenza longobarda sempre minacciosa, il Papa domanda aiuto al re dei Franchi Carlo Magno che diventa anche il difensore della cristianità in Europa contro l'avanzata degli arabi. Il Papa Leone III lo incorona la notte di Natale dell'800 imperatore del Sacro Romano Impero.
Carlo Magno organizza il nuovo impero in marche e contee affidate a marchesi e conti, uomini di fiducia del re e suoi compagni d'arme (vassalli). Questi esercitano i poteri civili e militari per conto del sovrano.

CENNI DI STORIA
I NORMANNI

N el corso del IX sec. d.C. uomini del nord detti Normanni, con le loro navi conquista-no nuovi territori e giungono nel sud dell'Italia. Dopo lunghe lotte riescono a strap-pare molti territori ai Bizantini e ai Longobardi e cacciano gli Arabi dalla Sicilia da essi occupata da 200 anni.

CURIOSITÀ

 Gli Arabi e i Normanni in Sicilia

Il governatore bizantino di Siracusa per domare una rivolta chiese l'aiuto di un emi-ro. Iniziò così la sistematica occupazione araba che sostituì quella bizantina e durò cir-ca tre secoli. I costumi dell'Islam si diffusero rapidamente. Nell'isola apparvero i pri-mi minareti dai quali poi prenderanno spunto i campanili cristiani; i palazzi ricchi era-no ornati di palme e fontane. Gli arabi portarono una civiltà molto raffinata. Nelle scuole si insegnava l'algebra e che la terra era sferica. Era molto diffuso lo studio de-gli astri che influenzavano ogni momento della vita. La scienza dell'astronomia era importante per gli arabi e parole come azimut, nadir, zenit sono arabe. Nell'isola so-pravvivono modelli dell'architettura araba, a loro dobbiamo l'eleganza dell'arco moresco e delle decorazioni ad arabesco.

Le incursioni degli arabi erano già iniziate nella metà del VI se-colo ma un piano di invasione ve-ro e proprio risale all'anno 827.

Dopo il 1000, quando i Norman-ni conquistarono la Sicilia, la lo-ro cultura si fuse con quella ara-ba dando vita ad un'arte nuova ed originale.

I re normanni promossero e ac-colsero nelle loro corti artisti e poeti.

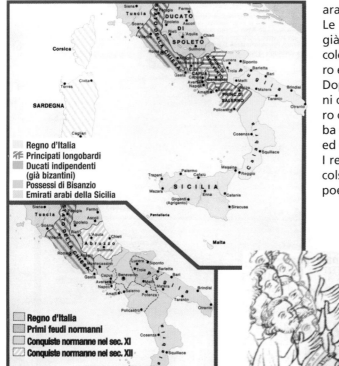

Scrivi l'infinito delle seguenti forme:

Conquistarono ....

Fuse ....

Promossero ....

Accolsero ....

Scrivi una frase con le seguenti espressioni o verbi:

Prendere spunto ....

....

Dare vita ....

....

Influenzare ....

....

Domare ....

....

Scrivi il contrario delle seguenti parole:

Primo ....

Ricco ....

Raffinato ....

Insegnare ....

Originale ....

CENNI DI STORIA
L'ITALIA INTORNO ALL'ANNO MILLE

Intorno al mille l'Europa si presenta abbastanza frammentata. Il Sacro Romano Impero dopo lotte e guerre fra vari stati rinasce in Germania quando Ottone I di Sassonia riesce ad unificare il paese e a sottomettere i feudatari e a ristabilire la superiorità dell'impero sul papato, tanto da venire incoronato imperatore a Roma nel 962.

IL PRIMO MEDIOEVO: IL FEUDALESIMO

Le città costruite dai romani si spopolano e sono quasi completamente abbandonate. L'economia agricola, con il signore feudale chiuso nel castello, domina la cultura di questa epoca di oscurantismo.
Alcune città sopravvivono solo perché sede del Vescovo. La società feudale è composta da tre grandi gruppi sociali «gli uomini di preghiera» i preti, «gli uomini a cavallo» i guerrieri, «gli uomini da lavoro» i contadini. Ma dopo il mille il mondo europeo vive un periodo di grande espansione economica e le città rifioriscono. I nobili abbandonano i loro castelli per trasferirsi nelle città e le loro case, torri solide e alte, diventano simbolo di ricchezza e prestigio. Le città, circondate da mura merlate, avevano porte che si aprivano nei punti di arrivo delle strade dove c'era la dogana. Continuavano poi curve e strette con le botteghe degli artigiani fino alla piazza principale dove c'era la Chiesa.

Puoi elencare le caratteristiche principali del Feudalesimo?

IL SECONDO MEDIOEVO: IL COMUNE

Dopo il X secolo e successivi l'Italia inizia una grande trasformazione e assistiamo alla decadenza del feudalesimo e alla fondazione del Comune. I Comuni, sempre più forti, cercano di rendersi autonomi dall'imperatore. Dopo il 1200 il Palazzo Civico simbolo del potere politico affiancherà le cattedrali. Verso il 1300 la città è assai cambiata, è cresciuta. La piazza è il punto di ritrovo dove si discutono i problemi politici, si fanno mercati sempre più ricchi ed è centro di spettacoli. La città si divide in quartieri, ogni quartiere ha i suoi funzionari che tengono in efficienza strade, canali, pozzi. I religiosi organizzano feste per il Santo patrono e processioni. Nascono le corporazioni o arti che raggruppano gli artigiani e i mercanti che fanno lo stesso mestiere e si organizzano per governare le città con un sistema democratico. Nascono le Università: tra le più antiche e famose ricordiamo Bologna e Salerno per gli studi giuridici e di medicina.

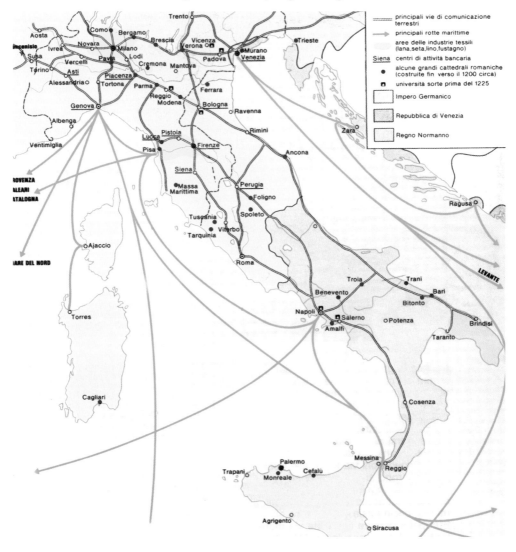

CURIOSITÀ

! La Medicina

A Salerno nasce la prima e più importante scuola medica d'Europa. La medicina è la scienza dell'epoca, anche se si tratta di una medicina molto rudimentale. La conoscenza del corpo umano è imprecisa e si basa ancora sulle nozioni degli antichi greci: Ippocrate (vissuto fra il V e IV sec. a. C.) e Galeno (II sec. a. C). Si ignora che esiste la circolazione del sangue. Si pensa che nel corpo esistano quattro "umori": il sangue, il flemma, la bile gialla, la bile nera che corrispondono ai quattro elementi materiali di cui è fatta la natura: il fuoco, l'acqua, la terra, l'aria. La diversa mescolanza dei quattro elementi forma quattro differenti caratteri fondamentali: il sanguigno, il flemmatico, il collerico, il melanconico. Il salasso, ossia il prelievo del sangue dalle vene, è una delle terapie più diffuse.

! L'Astrologia

Anche l'astrologia era una credenza ereditata dal mondo antico, una specie di astronomia primitiva. Si credeva che la terra e il cielo fossero legati da forze misteriose e che potessero influenzare la vita degli uomini e spesso l'astrologo affiancava il medico.

! L'Alchimia

L'alchimista è l'antenato del moderno chimico e studiava anche le proprietà dei metalli. Gli alchimisti arrivarono a distillare l'alcool etilico, l'acquavite, che veniva usata come medicinale. I successi dell'alchimia vennero scambiati per "diavolerie" e molti alchimisti finirono sul rogo insieme alle streghe.

! La carestia e la peste

Le carestie e le epidemie sono molto frequenti nel medioevo. Tra il 1347 e il 1360 si diffonde in Europa la peste chiamata "Morte nera". Trasportata da navi genovesi, provenienti dall'Asia provocò un vero crollo demografico in Europa. L'immagine della morte, prima più serena, diventa orribile e macabra e viene rappresentata come uno scheletro con una falce fienaia.

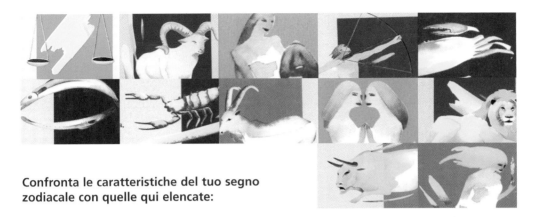

Confronta le caratteristiche del tuo segno
zodiacale con quelle qui elencate:

ARIETE
20/03 - 19/04
Sportivo, impulsivo, ostinato, determinato, ardito, grintoso, individuali-
sta, vincente, coraggioso, passionale, intraprendente, conquistatore.

TORO
20/04 - 20/05
Pratico, affidabile, testardo, concreto, sensuale, goloso, prevedibile, artista, possessivo, geloso, tenace, lavoratore, ecologista.

GEMELLI
21/05 - 21/06
Giovanile, allegro, divertente, vivace, dinamico, comunicativo, disinvol-
to, simpatico, versatile, intelligente, dispersivo, amabile, poco affidabile.

CANCRO
22/06 - 22/07
Materno, fantasioso, romantico, tenero, pigro, nostalgico, suscettibile, introverso, dotato di ottima memoria, percettivo, possessivo, geloso, lunatico.

LEONE
23/07 - 22/08
Generoso, fiero, solare, orgoglioso, estroverso, autoritario, superbo,
esibizionista, caldo, esteta, teatrale, narcisista, affidabile,
organizzativo.

VERGINE
23/08 - 22/09
Critico, lavoratore, razionale, timido, serio, affidabile, pignolo,
intelligente, modesto, riservato, prudente, puntuale, servizievole,
preciso.

BILANCIA
23/09 - 21/10
Socievole, romantico, elegante, raffinato, pacifista, equo, festaiolo,
creativo, sentimentale, comunicativo, esteta.

SCORPIONE
22/10 - 21/11
Ambizioso, volitivo, implacabile, deciso, sexy, intollerante, magnetico, in-
quieto, indagatore, possessivo, critico, geloso, ribelle, acuto.

SAGITTARIO
22/11 - 21/12
Idealista, eclettico, simpatico, chiacchierone, ingenuo, generoso,
entusiasta, sportivo, curioso, intuitivo, egocentrico, ambizioso,
imprevedibile, impulsivo e viaggiatore.

CAPRICORNO
22/12 - 20/01
Ambizioso, freddo, affidabile, preciso, puntiglioso, controllato, deciso,
pessimista, parsimonioso, organizzato, pratico, serio, infaticabile,
logico, ordinato.

ACQUARIO
21/01 - 18/02
Intellettuale, studioso, socievole, trasgressivo, ribelle, fantasioso,
disponibile, altruista, violento, freddo, imprevedibile,
coraggioso.

PESCI
19/02 - 20/03
Sensuale, creativo, romantico, mistico, sognatore, intuitivo, drammatico,
esagerato, sfuggente, artista, generoso, servizievole.

L'ARCHITETTURA ROMANICA E GOTICA

Una delle espressioni più importanti del Medioevo, che ancora oggi ci riempie di stupore e di ammirazione, è l'architettura romanica e gotica. Nei primi secoli le chiese sono di solito costruzioni piccole e modeste. Le pievi rurali e le chiese dei monasteri sono edifici poveri senza pretese artistiche. Ma a partire dal XI sec. sorgono in ogni città d'Europa splendidi edifici in marmo e pietre chiare ai quali lavorano architettti, scultori, pittori, carpentieri e muratori. In una società dove la popolazione è in maggioranza analfabeta queste opere hanno anche una funzione educativa. I portali delle chiese sono istoriati da rilievi che raffigurano episodi della Sacra Bibbia. Nell'arte medievale si distinguono due periodi: **il Romanico sec. XI-XII, il Gotico sec. XIII-XIV.**

• Le caratteristiche delle chiese romaniche sono: la forma a croce, i rapporti di proporzione con prevalenza della parte muraria sugli spazi vuoti, gli archi perfettamente tondi, l'equilibrio e la semplicità degli elementi. In sintesi la costruzione è robusta e armoniosa proprio a "misura d'uomo". Generalmente camminando verso il presbiterio, luogo dove si trova l'altare, ai lati della navata centrale vediamo una serie regolare di colonne unite in alto da archi a tutto tondo. Alcuni esempi di chiese romaniche sono: la cattedrale di Pisa, la cattedrale di San Nicola a Bari.

• La caratteristica dell'architettura gotica è nel verticalismo di tutte le sue componenti strutturali e decorative, nella prevalenza del vuoto sul pieno e nella ricchezza di vetrate che danno all'interno una grande luce, nell'altezza dei pilastri, nello slancio degli elementi architettonici ricchi di sculture e nicchie, mentre all'esterno la costruzione è alleggerita da statue, nervature, guglie, rosoni e vetrate. Il fedele ha la sensazione di essere elevato verso Dio e la chiesa si configura come la "Città celeste".
Alcuni esempi di Cattedrali gotiche sono la basilica di S.Francesco di Assisi, il Duomo di Orvieto, il Duomo di Siena.

SAN FRANCESCO

San Francesco, patrono d'Italia nacque ad Assisi nel 1182. Il padre era un ricco mercante di stoffe che andava spesso in Francia dove aveva trovato moglie. Era in Francia quando gli venne al mondo il figlio, perciò lo chiamò Francesco. Francesco era un giovane esuberante, non alto, magro, aveva la testa grossa, la fronte bassa, gli occhi neri, il naso diritto, le orecchie piccole le mani lunghe e bianche. Vestiva con eleganza, passava le serate nelle taverne o per le strade giocando a dadi, cantando, bevendo con gli amici e facendo scherzi.

Partecipò alla guerra contro Perugia e fu fatto prigioniero fino al 1203, quando fu stipulata la pace. A 25 anni, mentre si preparava a partire per un'altra guerra, una voce misteriosa lo illuminò e gli indicò la strada della fede cambiando la sua vita.

Cominciò a distribuire tutto ciò che aveva ai poveri e una volta, durante l'assenza del padre, vendette le stoffe più pregiate per fare delle offerte.

Quando il padre scoprì il fatto si arrabbiò e, tornato a casa, lo aspettò davanti alla porta con un bastone, lo colpì molte volte e poi lo relegò in cantina in catene.

Ma Francesco non cambiò e continuò a distribuire ai poveri i denari del padre finché questi lo denunciò. Francesco allora andò dal Vescovo e, tolta anche la tunica e restato nudo, disse di volersi disfare di tutto per servire solo Dio.

Il Vescovo, dopo averlo coperto con un mantello, lo inviò in un monastero dove fece lo sguattero. Intanto molti cominciarono a seguire il suo esempio, finché Francesco chiese al Papa Innocenzo III il permesso di fondare un ordine, quello dei "fratelli minori".

La povertà e l'umiltà erano i principi fondamentali della regola.

Gli venne affidata una piccola cappella, la Porziuncola, dove affluirono altri frati che ingrossarono l'esercito dei suoi seguaci. Nel 1224 si chiuse in un eremo dove, in sogno, vide Gesù sul Calvario. Al suo risveglio il corpo era coperto di stigmate.

Tornò alla Porziuncola e ci restò fino alla morte nel 1226.

È di questo Santo uno dei documenti letterari poetici più importanti e uno dei primi in lingua volgare "Il cantico delle creature" che inizia con questi versi:

LAUDATO SII MI SIGNORE
PER SORA ACQUA CHE EST BELLA
CASTA ET PURA

Francesco era un giovane	esuberante	☐
	ignorante	☐
	invadente	☐
Davanti al vescovo Francesco tolse	la camicia	☐
	la tunica	☐
	la toga	☐
Il padre di Francesco lo	regalò	☐
	relegò	☐
	raggelò	☐
Nel monastero Francesco fece lo	sbirro	☐
	sguattero	☐
	sgarbato	☐
S. Francesco fondò l'ordine dei frati	minuti	☐
	piccoli	☐
	minori	☐
S. Francesco si chiuse in un	antro	☐
	eremo	☐
	armadio	☐
S. Francesco era in cantina	in carcere	☐
	in catene	☐
	in collare	☐
Il vescovo lo coprì	con un martello	☐
	con un mantello	☐
	con un ombrello	☐

PITTURA MEDIEVALE

Sia in età romanica che in età gotica i soggetti della pittura sono prevalentemene religiosi. Nella pittura medievale sono frequenti tre colori che hanno un valore simbolico: il blu, simbolo di nobiltà e spiritualità è spesso il colore del manto della Madonna; il rosso, simbolo di regalità rappresenta l'amore per Dio e il simbolo della passione; l'oro. simbolo della grazia e dello spazio divino esprime la soprannaturalità degli eventi.

Cimabue (1240-1302) è considerato il capostipite della pittura italiana e della scuola fiorentina. Segna il passaggio dalla ieratica pittura bizantina alla pittura che acquista elementi di umanità e realtà con soggetti collocati in uno spazio quasi tangibile. Fra i maggiori pittori di questo periodo ricordiamo Simone Martini e Ambrogio Lorenzetti per la scuola senese, Giotto per quella fiorentina.

Di Simone Martini (1284-1344)
è interessante ricordare l'affresco di Guido Riccio da Fogliano, il condottiero vincitore è rappresentato in una dimensione ideale privo di volume, regale, con contorni eleganti e netti e colori luminosi.

Ambrogio Lorenzetti (1280-1342)
ha lasciato nel Palazzo Pubblico di Siena affreschi che illustrano scene di vita quotidiana in campagna e in città. Comunicano l'impressione di una favola a sfondo politico con la rappresentazione allegorica del buon governo e dei suoi effetti benefici.

Giotto di Bondone (1276-1337)
Narra in 28 scene nella basilica di S. Francesco ad Assisi la vita del santo. Con Giotto il fondo dorato è abolito e il cielo diventa azzurro e luminoso. Lo spazio è tridimensionale grazie all'uso della prospettiva intuitiva e al gioco di luce e ombra. Gli episodi sono incorniciati da finte architetture che danno profondità all'immagine.

Dall'alto: Simone Martini, «Guido Riccio da Fogliano», Palazzo Pubblico di Siena; Ambrogio Lorenzetti, «Effetti del Buon Governo», Palazzo Pubblico di Siena; Giotto, «Omaggio di un semplice», Basilica di S. Francesco (Assisi).

Descrivi gli elementi del dipinto di Simone Martini e le sensazioni che suscitano in te:

Elenca gli elementi del dipinto di Ambrogio Lorenzetti che indicano gli effetti del Buon Governo:

Illustra gli elementi architettonici del dipinto di Giotto:

LA NASCITA DELLA LINGUA ITALIANA

Quando parliamo di una lingua immaginiamo che sia una persona ed usiamo i verbi nascere, crescere, morire. In realtà non possiamo dare una data precisa di nascita o di morte di una lingua, poiché la lingua si forma lentamente dalla trasformazione di un'altra lingua. La lingua italiana segue tale percorso partendo dalla lingua latina. Durante il grande impero romano la lingua latina era parlata in quasi tutta Europa. In Italia, centro dell'Impero, il latino era la lingua ufficiale scritta e parlata. Mentre il latino scritto rimaneva più rigido nei suoi modelli, il parlato si trasformava lentamente, soprattutto fra il popolo. Nel V secolo, la fine dell'impero romano cambiò la vita politica e sociale con conseguenze sulla lingua e sulla cultura. Si formarono vari stati barbarici (da barbaros = forestiero), nei quali non si studiava più il latino. Il latino volgare (dalla parola vulgus = popolo), cioé la lingua parlata ebbe il sopravvento. In questa situazione la lingua italiana dà i primi segni di vita e da orale incomincia la sua fase scritta con iscrizioni su tombe, graffiti sui muri o piccole annotazioni. La consapevolezza della nascita di una nuova lingua si affermò nei secoli VIII e IX, quando Carlo Magno, interessato agli studi, creò nuove scuole dove si riprese a leggere e a commentare i classici latini. Il confronto della lingua parlata con i testi latini rese evidente che su tutto l'impero si erano formate nuove lingue, lingue dette neolatine o romanze come: l'italiano, il francese, lo spagnolo ecc. Abbiamo un primo esempio di scrittura volgare in un documento del 960 d. C., il Placito Cassinese (Placito = processo). È un processo che riguarda i possedimenti terrieri del Convento di Cassino e i testimoni sono contadini che non sanno parlare latino e perciò danno la loro testimonianza in volgare.

"SAO KE KELLE TERRE PER KELLE FINI KI CONTENE TRENTA ANNI LE POSSETTE PARTE SANTI BENEDICTI"

(So che quelle terre entro quei confini che qui sono indicati le possedette per trenta anni la parte di San Benedetto).

DANTE ALIGHIERI

È il nostro più grande poeta. Nato a Firenze nel 1265, partecipò attivamente alla vita politica della sua città e, in seguito a ciò fu costretto ad andare in esilio. Aveva 37 anni. Il poema che lui scrisse «La Divina Commedia» in lingua volgare è anche uno strumento di denuncia politica. Con questo poema si può parlare per la prima volta di letteratura in lingua volgare.

CURIOSITÀ

 Perché fu presa a modello la parlata toscana
Nel 1200 la Toscana divenne una regione a grande sviluppo socio-economico; si pensi ai banchieri e ai mercanti, i quali diedero molta importanza alla cultura e alle arti. La parlata toscana si presentò come la più idonea per le comunicazioni.

LA DIVINA COMMEDIA

L'opera si divide in 3 cantiche di 33 canti ciascuna, più uno per l'introduzione. Le 3 cantiche prendono i nomi delle 3 parti in cui è diviso per i cristiani il mondo ultra-terreno: Inferno, Purgatorio, Paradiso. Dante descrive ciò che gli è stato concesso di vedere nell'altro mondo e per questo si serve spesso dell'allegoria, secondo la quale, nell'aspetto reale vengono indicati i simboli morali. La selva è la vita con i suoi inganni e le sue tentazioni. Il cammino perduto è la tendenza al peccato. Virgilio rappresenta la ragione, la guida morale a cui si rivolge il peccatore nel pericolo mortale della sua anima. Le 3 belve che impediscono il suo cammino sono: il leone, simbolo della superbia, la lupa simbolo della cupidigia e la lonza simbolo della lussuria.

INFERNO: Virgilio, il grande poeta latino, guida Dante di cerchio in cerchio, fino al profondo Inferno, al centro della terra così da vedere le pene dei dannati colpiti dalla giustizia divina. **PURGATORIO:** di balzo in balzo, il poeta, sempre accompagnato da Virgilio sale la montagna del Purgatorio, dove le anime espiano i peccati per potere ascendere, purificate in paradiso. **PARADISO:** Beatrice, che simboleggia la grazia divina, si sostituisce a Virgilio per guidare Dante di cielo in cielo fino alla gran luce di Dio.

INFERNO - Canto I - Introduzione

Nel mezzo del cammin di nostra vita
mi ritrovai per una selva oscura,
che la diritta via era smarrita.
E quanto a dir qual era è cosa dura
questa selva selvaggia aspra e forte
che nel pensier rinnova la paura!

Nel mezzo del cammino della mia vita
mi ritrovai in una foresta buia
poiché la strada giusta era smarrita.
Quanto è difficile raccontare come era
questa foresta selvaggia e ostile
poiché nel ricordo fa paura di nuovo!

PARADISO - Canto XI - S.Francesco

Intra Tupino e l'acqua che discende
dal colle eletto del beato Ubaldo,
fertile costa d'alto monte pende,
onde Perugia sente freddo e caldo
da Porta Sole....
Di questa costa, là dov'ella frange
più sua rattezza, nacque al mondo
un sole...

L'INFERNO

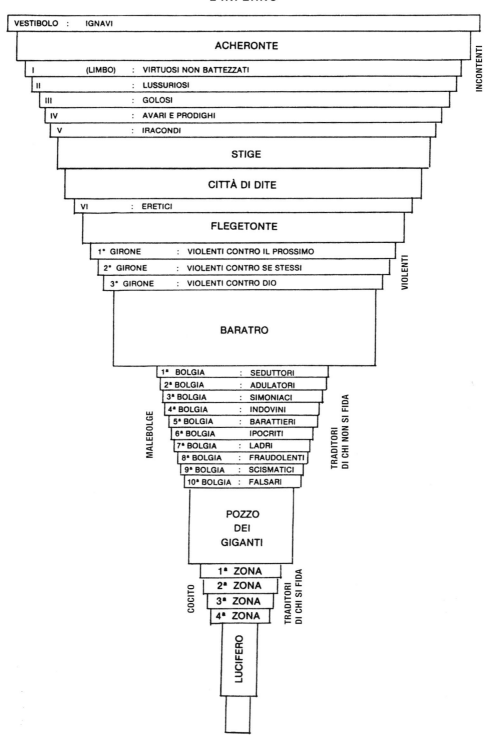

CENNI DI STORIA
LE REPUBBLICHE MARINARE

Fra il X e l'XI secolo Amalfi, Pisa, Genova e Venezia per la loro posizione geografica sul mare e per la loro autonomia politica stringono rapporti commerciali con il ricco oriente bizantino e musulmano. Venezia domina i traffici sul Mediterraneo e verso l'Oriente. Genova e Pisa strappano ai musulmani il controllo sulla Corsica e la Sardegna battendo anche la concorrenza di Amalfi. Nel frattempo nel centro e nel nord dell'Italia si affermano i comuni e si sviluppa un'attività economica soprattutto nel settore tessile che coinvolge molta parte dell'Europa fino alle Fiandre. La popolazione aumenta rapidamente in questi anni.

CURIOSITÀ

 Pisa, un gioiello senza padroni

Il celebre scrittore arabo, Al Idrisi, nel suo trattato di geografia (metà sec. XII), per il re normanno di Sicilia Ruggero II (noto appunto come "Il libro di re Ruggero"), così descrive Pisa: "Celebre è il suo nome, esteso il suo territorio; ha mercati fiorenti e case ben abitate, spaziosi passeggi e vaste campagne abbondanti d'orti e di giardini e di seminagioni non interrotte. Il suo Stato è fiorente; alti ne sono i fortilizi, fertili le terre, copiose le acque, meravigliosi i monumenti. La popolazione ha navi e cavalli ed è pronta alle imprese marittime sopra gli altri Paesi. La città è posta su un fiume che a essa viene da un monte dalla parte della Longobardia. Questo fiume è grande

e ha sulle sponde mulini e giardini". Negli stessi anni un viaggiatore ebreo, Beniamino da Tudela, nel suo "Itinerario", così scriveva: "Pisa è una città molto grande, con circa diecimila case turrite per combattere in tempo di guerra.

Tutti gli abitanti sono potenti, non hanno né re né principi che li governino, ma solo dei magistrati nominati da loro.

La città non ha mura e dista circa sei miglia dal mare; il fiume che l'attraversa serve per far entrare ed uscire le navi".

VENEZIA

Quando nel 452 d.C. gli Unni guidati da Attila arrivarono nel Veneto, gli abitanti di queste zone, terrorizzati, avevano già abbandonato i loro villaggi e si erano rifugiati sugli isolotti dell'arcipelago. Si erano sistemati in palafitte e capanne ed avevano cominciato a fare i pescatori e ad estrarre il sale, lontani dai massacri e dai saccheggi dei barbari. Lentamente si organizzarono politicamente con un capo: il Doge che, nel 697 presiedeva la Repubblica di Venezia. Grazie alla favorevole posizione della città i veneziani iniziarono l'attività di commercianti. Diventando la prima potenza commerciale in Europa. Dall'oriente importava spezie, profumi, sete, broccati, materie coloranti ed esportava legno, ferro, rame, argento, sale e schiavi.

Nel XIII sec. Venezia aveva oltre 100.000 abitanti che avevano un tenore di vita superiore a quello delle altre città. Il Doge conduceva una vita regale, nelle grandi solennità indossava un cappello con un corno, simbolo del potere, e un mantello dorato, e la sua tavola era imbandita con piatti e posate d'oro. I veneziani amavano anche le feste, come possiamo vedere ancora oggi in occasione del carnevale, le gare atletiche e i divertimenti. Molto in voga era la caccia al maiale che si svolgeva in piazza S. Marco il giorno del giovedì grasso. Centinaia di suini, aizzati da cani, s'avventavano contro cacciatori armati di coltello o di scure. In breve, la piazza si trasformava in un orrendo mattatoio e il popolino faceva man bassa dei maiali squartati. Ma la festa più popolare era lo sposalizio del mare. Il giorno dell'Ascensione il Doge si imbarcava sulla galera ducale o Bucintoro e attraversava la laguna.

Giunto davanti al porto di S. Niccolò versava in mare un secchio di acqua benedetta e un anello pronunciando queste parole:

«Sposiamo te, mare nostro, in segno di vero e perpetuo dominio».

Rispondi alle seguenti domande:

Chi furono i primi abitanti della Laguna?

Perché si rifugiarono sulle isolette?

Come erano le prime case?

Quale lavoro facevano all'inizio?

Quando diventarono i commercianti più importanti del Mediterraneo?

In cosa commerciavano?

Come si chiamava il loro capo?

Come era organizzata politicamente Venezia?

Quali feste organizzavano?

UMANESIMO E RINASCIMENTO

I Rinascimento è un movimento di pensiero che si sviluppa in Italia e in Europa nei sec. XV e XVI e coinvolge la letteratura, l'arte e le scienze. Il primo centro di diffusione è Firenze dove, nei primi anni del 1400 si raccoglie una folta schiera di artisti intorno alla corte dei Medici. Questi centri di cultura fioriscono anche in altre città italiane intorno ai loro principi. Il primo Rinascimento è definito con il termine UMANESIMO, cioè affermazione dell'uomo che acquista grande fiducia nei propri valori e nelle proprie capacità fino al Rinascimento maturo del 1500.

In questo periodo i Signori delle principali città italiane promuovono lo sviluppo delle arti diventando nuovi mecenati.

A Firenze la famiglia dei Medici accoglie poeti, umanisti e pittori come: Gentile da Fabriano, Beato Angelico, Masaccio, Botticelli, scultori come Donatello e architetti come Brunelleschi. A Roma sono i Papi ad accoglie-

re gli artisti, fra tutti Giulio II che fece costruire la Basilica di S. Pietro e il Papa Sisto IV che fece costruire la cappella Sistina a cui collaborarono il Ghirlandaio, il Botticelli, il Perugino, il Pinturicchio e Michelangelo che qui mostrò la grandezza del suo genio. A Milano abbiamo Francesco Sforza e Ludovico il Moro, a Mantova Francesco II e Federico II Gonzaga. A Venezia lavorò Carpaccio, a Urbino presso il Duca di Montefeltro lavorò Piero della Francesca.

L'ARTE

La nobiltà morale di Masaccio, la calcolata geometria di Piero della Francesca, la purezza incantevole del Beato Angelico, le allegorie profane di Botticelli, parlano la lingua dell'Umanesimo con il recupero dei canoni dell'arte antica. La pittura del '400 ha proporzioni ben calcolate, nessun aspetto del dipinto prevale nettamente sull'altro. Fra le innovazioni più importanti c'è l'abbandono del fondo in oro usato nel Medioevo sostituito dai paesaggi, il passaggio dal polittico alla "tabula quadra" e la pala d'altare unitaria in cui tutti i personaggi sono coinvolti in un'unica scena. C'è inoltre un'attenzione nuova per tutto il mondo della natura e si ritraggono con cura erbe, animali, costumi, paesaggi. Anche nell'architettura c'è il desiderio di riprodurre la città ideale con forme classiche e pure. La piena conoscenza delle regole della prospettiva determina i capolavori di Donatello, Michelangelo e Leonardo.

BRUNELLESCHI (1377-1446)

Filippo Brunelleschi non attraente di aspetto, aveva un'indole piena di ingegno e di capacità che espresse nelle nuove forme dell'architettura.

Si formò a Firenze ma a Roma studiò le strutture dell'architettura antica e soprattutto quelle delle cupole. Il suo grande capolavoro infatti è la cupola di S. Maria del Fiore a Firenze. Volle che si costruisse a sezione ottagonale per diminuire il peso generale, pensò di fare la cupola doppia lasciando uno spazio libero fra la calotta interna e quella esterna e tutte e due le girò a sesto acuto.

Elenca le figure geometriche che conosci:

DONATELLO (1386-1468)

Il più grande scultore del '400 fu Donato di Betto detto "Donatello".

Artista di sentimento cristiano e dallo stile realista, a Roma si dedicò ai disegni di alcuni frammenti di capitelli, colonne, cornici e basamenti, a Firenze diede un saggio dei suoi studi scolpendo un S. Marco per la corporazione dei falegnami. La statua di S. Giorgio in cui vi è espresso tutto il sentimento cristiano, è uno dei capolavori di Donatello insieme al David. Ma sono stupendi anche i bassorilievi in cui tutto è disposto dentro grandiosi scenari prospettici.

Precisa il significato delle seguenti parole:
bassorilievo, prospettico, frammento

Donatello, «David», Firenze.

GENTILE DA FABRIANO (1370-1427)

Protagonista della pittura tardogotica all'inizio del '400 esegue alcuni affreschi anche nel Palazzo Ducale di Venezia. Poi si stabilisce a Firenze.

La raffinatezza e l'eleganza dei suoi dipinti su fondo oro e l'esecuzione tecnica perfetta sono la spia dell'interesse per la scultura classica.

 Prova ad elencare le caratteristiche fondamentali di questo dipinto:

....

....

....

....

Gentile da Fabriano, «Madonna col Bambino», Berlino.

BEATO ANGELICO (1395-1455)

La formazione del pittore avviene a Firenze sotto l'influenza di Gentile da Fabriano. Nei suoi dipinti c'è l'incanto di una ispirazione mistica e di una grande delicatezza di colori sempre limpidi e immagini celestiali.

 Prova a spiegare i seguenti termini:

Il panneggio degli abiti ....

....

L'inchino dell'angelo ....

....

L'aureola della Madonna ....

....

Beato Angelico, «Annunciazione», Arezzo.

MASACCIO (1401-1428)

Una radicale rivoluzione nella storia della pittura è legata a questo pittore che esprime una grande energia e plasticità con le sue figure che dominano prepotentemente lo spazio.

 Scegli fra le seguenti parole quelle più adatte a descrivere i personaggi:

statuari, autorevoli, dolci, espressivi, solenni, evanescenti, plastici.

Masaccio, «Pagamento del tributo», Firenze

SANDRO BOTTICELLI
(1445-1510)

Le sue opere smaglianti sono conservate nel museo degli Uffizi a Firenze.
Nei suoi dipinti emerge la raffinatezza e il carattere intellettuale dell'artista, che utilizza una tecnica consumata e una perfezione di tratti per elaborare opere al limite del sogno. L'uso delle velature e traparenze, i colori chiari danno l'idea del sovrannaturale.

Botticelli, «La Primavera», Firenze.

Usando le seguenti parole prova a descrivere i dipinti di Botticelli:

allegoria, trasparenze, limpido, colore, fantastica, evanescente, leggerezza, grazia, dolcezza, pudore, freschezza, lussureggiante

----

PIERO DELLA FRANCESCA (1416-1492)

Artista fondamentale nel Rinascimento poiché stabilisce con precisione geometrica le regole della prospettiva, applicandole con toccante poesia e armonia.

Descrivi gli elementi della prospettiva del dipinto.

P. della Francesca, «Annunciazione», Perugia (a sinistra);

«Federico da Montefeltro», Firenze (a destra).

BRAMANTE (1444-1514)

Grandissimo architetto interprete della classicità in forme audaci e originali lavora a Milano e nella Roma di Giulio II, dove progetta la risistemazione dei Palazzi Vaticani e getta le basi per la ricostruzione della basilica di S. Pietro proseguita poi da Michelangelo. A Milano come pittore si esprime con figure solenni e drammatiche.

Bramante, cupola del Santuario di S. Maria della Consolazione, Todi.

MANTEGNA (1431-1506)

Mantegna rinnova profondamente lo stile della pittura sacra dando ai suoi personaggi una plasticità e una monumentalità solenne inserita in contesti architettonici ben definiti.

Descrivi il dipinto e le sue caratteristiche:

Mantegna, «San Sebastiano», Vienna.

IL PERUGINO (1450-1524)

Pietro Vannucci detto il Perugino nato a Città della Pieve, è autore di un'enorme produzione e nella sua bottega impone lo stile elegante e trasognato dei suoi dipinti, che hanno per sfondo il paesaggio dolce della sua terra vicino al lago Trasimeno.

PINTURICCHIO (1454-1513)

Formatosi alla bottega del Perugino, arricchisce la sua pittura di decori e elementi classici sempre evidenti ma armonici.

 Osservando bene il dipinto del Perugino, trova qualche somiglianza con il dipinto di Raffaello "Lo sposalizio della Vergine" a pag. 164 e descrivi la analogie e le differenze:

....

....

....

Commenta il dipinto del Pinturicchio.

....

....

Perugino, «Consegna delle chiavi», Roma.

Pinturicchio, «Annunciazione», Spello.

CENNI DI STORIA
L'ITALIA NEL PERIODO RINASCIMENTALE

L' Umanesimo quattrocentesco è un'epoca di equilibrio e armonia. Il cinquecento è un periodo di trasformazione con il consolidarsi di grandi Stati nazionali, con le nuove rotte commerciali conseguenza delle scoperte geografiche, con la lacerante riforma di Lutero e l'avanzata dell'impero Ottomano. Inizia una nuova era: l'era moderna.
In Italia si consolida la prevalenza straniera su ampi territori del meridione e sull'ex ducato di Milano. Le città marinare di Venezia e Genova si ridimensionano. L'uomo del Rinascimento studia, viaggia, si interessa di scienza ed economia, crede nella grandezza e dignità dell'uomo. La ragione diventa uno strumento di analisi per comprendere il proprio rapporto con Dio. L'invenzione della stampa a caratteri mobili, avvenuta nella metà del 1400, farà diffondere rapidamente in Europa le nuove idee e il sapere degli antichi.
L'uomo del Rinascimento riscopre i classici greci e latini e anche gli artisti si ispirano alla bellezza classica. Si torna all'uso delle colonne, degli archi studiati nei monumenti dell'antica Roma. Le città si arricchiscono di spazi più ampi e di elementi decorativi che si ripetono nei palazzi, come le cornici alle finestre che danno il senso della città ideale pensata con schemi di armonia e geometria.

NICCOLÒ MACHIAVELLI (1469-1527)

Spesso quando si parla di persone particolamente intelligenti, astute e con iniziative intriganti si definiscono machiavelliche, riferendoci al personaggio politico di Machiavelli. Fu consigliere e diplomatico a Firenze, ebbe incarichi importanti di ambasciatore presso la corte di Cesare Borgia (figlio del Papa, Alessandro VI), famoso per la sua astuzia e crudeltà.
Sembra che Machiavelli si sia ispirato proprio a questo personaggio per scrivere la sua opera «Il Principe», nella quale illustra i canoni di una politica totalmente priva di principi morali e religiosi; non esitando a consigliare l'uso della violenza, del tradimento e della crudeltà se questo serve al bene dello Stato, secondo la famosa massima «IL FINE GIUSTIFICA I MEZZI». L'autore illustra la figura di questo principe ideale, dotato di grande senso dello stato, che difende con spietata fermezza. È astuto come una volpe, forte come un leone sempre lucido e freddo. Questo libro pubblicato nel 1531 provocò interesse e polemiche in tutta Europa. Machiavelli è anche famoso per le sue opere teatrali di ispirazione classica fra le quali è famosissima «La mandragola».

IL FINE GIUSTIFICA IL MEZZO.
Esponi il tuo pensiero a proposito di questa filosofia.

LUCREZIA BORGIA,
UNA DAMA RINASCIMENTALE

Figlia illegittima del Papa Alessandro VI e sorella di Cesare Borgia, è passata alla storia per la sua maestria negli intrighi e per il suo mecenatismo.

Nata a Roma nel 1480, visse solamente 39 anni. Si sposò tre volte secondo i voleri del padre diventando così strumento dei suoi giochi politici. Il primo matrimonio con Giovanni Sforza signore di Pesaro fu annullato. Il secondo marito figlio del re di Napoli, fu ucciso e il terzo fu Alfonso d'Este, duca di Ferrara. Lucrezia dette vita ad una brillante corte rinascimentale a Ferrara alla quale parteciparono scrittori e artisti fra cui: Tiziano, Pinturicchio, Michelangelo. Molte opere letterarie e teatrali si sono ispirate alla sua complessa figura di donna a volte crudele e calcolatrice, a volte vittima innocente del fratello e del padre.

MARIA BELLONCI (1902-1986)

Maria Bellonci di origine piemontese ha pubblicato il volume «Lucrezia Borgia» nel 1939, frutto di lunghi anni di ricerche negli archivi italiani. Attenta e fedele cronista delle storie del passato ha il dono di renderle attuali, vive e ricche di indagini interiori. È considerata dai critici internazionali scrittrice di grande valore ed è colei che ha istituito il premio letterario «Strega».

Brano liberamente tratto dal libro **«Lucrezia Borgia»**.

> *Lucrezia somigliava al padre nel suo modo gioioso d'aver fede in tutte le promesse del futuro; aveva come il padre la linea sfuggente del mento, ma questo difetto si ingentiliva e si sminuiva in lei fino a darle la grazia di un'adolescenza perpetua. Bionda, con gli occhi chiari, colori che sembravano quasi testimoniare le origini nordiche della madre. Esile di persona, la tenuità della sua apparenza era rinvigorita dal sangue spagnolo che le dava consistenza e calore. E spagnola si sentiva Lucrezia.*

 Scegli il verbo adatto per le seguenti frasi:

rinvigorire, sminuire, avere fede

Il critico d'arte .... il valore di quel quadro.

Mi sento stanco, prendo una medicina per ....

.... nelle capacità dei miei colleghi.

L'ARTE

Sono di questo periodo gli artisti più grandi della storia: Leonardo, Raffaello, Michelangelo, Tiziano. L'arte italiana conferma il suo primato. La ricerca della fedeltà anatomica unita ad una intensità di espressione ed un tratto sofisticato del pennello dovuto all'uso del chiaroscuro caratterizzano la pittura di questo periodo. Il Cinquecento è anche il secolo degli autoritratti attraverso i quali si spinge la curiosità di un'indagine psicologica e di un interesse per l'uomo. Nel 1508 cominciano i lavori di Raffaello nelle Stanze Vaticane e Michelangelo inizia gli affreschi della volta nella Cappella Sistina. Nell'architettura a Venezia si assiste alla fioritura classicheggiante delle dimore Palladiane.

LEONARDO (1425-1519)

Personaggio emblematico del Rinascimento italiano capace di passare, nella sua perenne ricerca, dall'arte alla scienza sfugge ad ogni tipo di definizione. Infatti è pittore, architetto, inventore, ingegnere, astronomo, ecc. Nei suoi ritratti è evidente la ricerca del movimento dinamico e del tratto psicologico.

LA GIOCONDA – La Gioconda (forse il ritratto della sposa di Francesco del Giocondo) è un'opera di cui è difficile parlare perché è stata sempre mitizzata. Leonardo in questo capolavoro esprime il suo concetto dell'essere umano inserito nel continuo mutamento della natura. Il sorriso misterioso rappresenta un'espressività quasi inafferrabile e distante dalla contingenza della vita. A questo ritratto, ma con caratteristiche ben diverse, si è ispirato Raffaello nella raffigurazione di Maddalena Doni, nobildonna fiorentina, ritratta con le sue vesti sontuose e ornata dei suoi gioielli che le danno un'immagine terrena e concreta.

Leonardo, «Dama con l'ermellino», Cracovia.   Leonardo, «La Gioconda», Parigi.

Prova ad individuare le differenze fra questi due famosissimi ritratti di Leonardo.

RAFFAELLO (1483-1520)

Discepolo del Perugino, raggiunge presto un grande equilibrio fra la corretta applicazione delle regole dell'arte rinascimentale, l'imitazione della natura e la dolcezza dell'espressione. Papa Giulio II lo chiama per affrescare le Stanze dell'appartamento privato in Vaticano.

MICHELANGELO (1475-1564)

Grande scultore, architetto e pittore. La sua opera è legata in parte agli affreschi della cappella Sistina, sintesi drammatica della storia dell'uomo e celebrazione della bellezza della creazione. Questo impegno segna profondamente il suo fisico. Costretto a lavorare a lungo disteso sulla schiena e il braccio teso in alto, contrae una serie di malattie e deformità. Egli preferiva la scultura e l'architettura alla pittura.

Raffaello, «Sposalizio della Vergine», Milano.

Illustra gli elementi architettonici e pittorici del dipinto.

Michelangelo, «La Pietà», Vaticano.

Descrivi quali sensazioni suscita in te questa scultura.

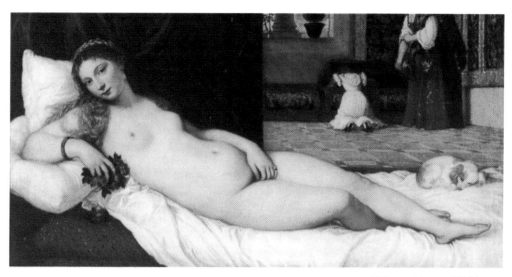

Tiziano, «Venere di Urbino», Firenze.

TIZIANO (1488-1576)

Tiziano diventa presto famoso nella scuola veneziana grazie alla formidabile ricchezza dei colori ed al dinamismo delle sue composizioni. La sua fama è legata anche alla vivezza dei suoi ritratti.

Tintoretto, «Cristo davanti a Pilato», Venezia

TINTORETTO (1519-1594)

All'artista della scuola veneziana va riconosciuta una capacità di innovare gli schemi compositivi. Nei suoi dipinti si avverte il senso del grandioso e del drammatico della scena, il movimento delle masse e dei personaggi, l'atmosfera irreale.

Descrivi il gesto che compie Ponzio Pilato e spiega il senso della frase:

"essere un Ponzio Pilato".

CENNI DI STORIA
IL SEICENTO

È un secolo in cui in Europa si affermano governi assolutistici che in Italia segnano il dominio degli spagnoli, sia al sud che al nord. Iniziano le conquiste coloniali e la scienza si apre a nuovi orizzonti con Galileo.

Quali stati ci sono oggi al posto di quelli illustrati sulla carta?

L'Europa nel 1648

- ■ Asburgo di Spagna
- □ Asburgo d'Austria
- ■ Repubblica di Venezia
- ■ Repubblica di Genova
- — Confini Sacro Romano Impero

Piazza di Spagna a Roma.

CIVILTÀ ITALIANA

IL BAROCCO

Il Barocco, considerato un trionfo di forme e di colori, ha rappresentato un fenomeno culturale e di costume che ha lasciato le sua impronta non soltanto nella pittura e nell'architettura, ma anche nella società, nella politica e nelle ideologie. La parola Barocco, secondo alcuni deriva dal portoghese "Baroco" nome che si dà a certe perle non sferiche, irregolari e bizzarre. Il Barocco è un'arte ricca che nacque nei paesi poveri come l'Italia e la Spagna. Qui la ricchezza era accentrata in poche mani e veniva usata per aumentare il prestigio di chi la deteneva. Il palazzo del '600 sorgeva solenne e superbo, circondato da fontane e da statue in mezzo ai tuguri dove viveva la povera gente. Le case non erano fatte per l'intimità ma per la rappresentanza, gli architetti le progettavano così che facessero più spicco nella miseria del quartiere. Anche il pittore nella tela e lo scultore sul marmo dovevano celebrare il signore che li pagava. Per tutto il '600 Roma fu il fulcro di questo stile ed il Bernini ne fu il maggior rappresentante; con lui l'arte si fece sensuale, acquistò il gusto per lo scenografico e diventò di facile comunicabilità.

Spiega il significato delle seguenti espressioni:

Trionfo di forme ....

Lasciare l'impronta ....

Fare spicco ....

Essere il fulcro ....

Essere la Mecca ....

Casa di rappresentanza ....

GALILEO GALILEI (1564-1642)

Proprio in Italia nel secolo della dominazione spagnola, si verificò uno degli avvenimenti più importanti della storia moderna: la nascita del metodo scientifico dovuto a Galileo Galilei.

Nacque a Pisa nel 1564 e, ancora studente, ebbe la prima intuizione scientifica osservando le oscillazioni di una lampada nel duomo della città. Si accorse che le oscillazioni avevano la stessa durata di tempo, ciò portò alla costruzione dell'orologio a pendolo. Verso i 36 anni, perfezionando uno strumento costruito da artigiani olandesi, fabbricò il primo canocchiale e lo usò per fini scientifici; esplorò il cielo e si convinse che la teoria descritta da Copernico era esatta. La terra non è immobile ma gira intorno al sole.

IL PROCESSO A GALILEO

Il 5 marzo del 1616 la Chiesa emanava il suo storico Editto: «L'opinione che il sole stia immobile al centro dell'universo è assurda, falsa filosoficamente e profondamente ereticale perché contraria alla Sacra Scrittura. L'opinione che la terra non sia il centro dell'Universo e che abbia una rotazione quotidiana è filosoficamente falsa, è una credenza erronea».

La chiesa credeva così di avere seppellito Galileo, invece aveva dato un colpo di zappa a se stessa.

✏️ **Scegli la risposta esatta:**

La stella che indica il Nord è

la stella cadente	☐
la stella polare	☐
la stella di Venere	☐

Il pianeta più vicino alla Terra è

il pianeta di Marte	☐
il pianeta di Giove	☐
il pianeta di Saturno	☐

La Terra gira intorno

all'asse lineare	☐
all'asse terrestre	☐
all'asse di legno	☐

I pianeti che girano intorno alla Terra sono:

12	☐
15	☐
20	☐

L'ARTE

Dopo anni di critiche il periodo artistico del Seicento è stato rivalutato. È infatti un secolo ricco di passioni e umanità che ha ispirato artisti di temperamento come ad esempio il Caravaggio e grandi architetti come Bernini e Borromini.

BORROMINI (1599-1667)

Francesco Castelli detto il Borromini era nato a Bissone nel Canton Ticino ed è stato grande antagonista di Bernini. Borromini era introverso, scontroso, di umore malinconico e permaloso. È considerato il vero creatore del Barocco, dove la grandiosità si confonde con la stravaganza. Nella sua arte invece di materiali nobili come marmi e bronzi usa materiali poveri come i mattoni. Tra le sue opere maggiori ricordiamo la chiesa di S. Agnese in piazza Navona.

BERNINI (1598-1680)

Fu scultore e architetto nacque a Napoli e morì a Roma. Lavorò per il pontefice Urbano VIII e costruì il baldacchino di S. Pietro che si trova sotto la cupola di Michelangelo. Sotto il papato di Innocenzo X (1655) eseguì il colonnato di S. Pietro la cui prospettiva crea l'atmosfera di un abbraccio al popolo cristiano. In tutte le sue opere spiccano la gentilezza e l'agilità che danno una sensazione di eleganza.

CARAVAGGIO (1571-1610)

Il carattere violento si intreccia con la sua esperienza artistica disegnando un personaggio unico. Le sue opere sono caratterizzate da un realismo schietto e umano e la sua sensibilità nei confronti della luce carica la scena di emozione.

Caravaggio,
«Stigmate di San Francesco»,
Connecticut.

Prova ad illustrare quali elementi del dipinto sono importanti e quali sensazioni suscitano in te.

ALESSANDRO MANZONI
(1785-1873)

È forse il poeta italiano più famoso, insieme a Dante Alighieri è il maggiore scrittore dell'Ottocento e rappresentante illustre del Romanticismo. "I promessi sposi", il suo romanzo più famoso, ruota intorno ai concetti della Fede e della Provvidenza divina che guidano la vita degli uomini.

LA STORIA – Lo sfondo è la Lombardia del XVII secolo dominata dagli spagnoli. Due poveri contadini, Renzo e Lucia decidono di sposarsi ma sono ostacolati da un signorotto, don Rodrigo, che ha scommesso di possedere Lucia. Per questo ordina al prete don Abbondio di non celebrare le nozze ed inizia a perseguitare la ragazza. Ma alla fine, grazie al loro amore ed alla loro fede, i due giovani riusciranno a sposarsi. Il romanzo è ricco di personaggi ed episodi, a volte realistici, a volte decisamente lirici e commoventi. Ne abbiamo scelto uno, particolarmente poetico, che si svolge durante la peste di Milano.

DA «I PROMESSI SPOSI» DI ALESSANDRO MANZONI
La peste a Milano - Cecilia

«Scendeva dalla soglia di uno di quegli usci, e veniva verso il convoglio, una donna il cui aspetto annunziava una giovinezza avanzata, ma non trascorsa, e vi traspariva una bellezza offuscata, ma non guasta (...) ; quella bellezza molle e a un tempo maestosa che brilla nel sangue lombardo. La sua andatura era affaticata, ma non cascante, gli occhi non davano lacrime, ma portavano il segno di averne sparse tante, c'era in quel dolore un non so che di pacato e profondo che attraversava l'anima (...). Portava al collo una bambina di forse nove anni, morta; ma tutta ben accomodata, coi capelli divisi sulla fronte, con un vestito bianchissimo, come se quelle mani l'avessero adornata per una festa promessa da tempo e data per premio. Né la teneva a giacere, ma sorretta a sedere su un braccio, col petto appoggiato al petto come se fosse stata viva, se non che una manina bianca, a guisa di cera, spenzolava da una parte, con una certa inanimata gravezza, e il capo posava sull'omero della madre con un abbandono più forte del sonno. (....)
Un turpe monatto andò per levarle la bambina dalle braccia, con una specie però di insolito rispetto, con una esitazione involontaria, ma quella tirandosi indietro, senza però mostrare sdegno né disprezzo "no" disse "non me la toccate per ora, devo metterla io su quel carro; "prendete" così dicendo aprì una mano, fece vedere una borsa e la lasciò cadere in quella che il monatto le tese, poi continuò "promettetemi di non levarle un filo d'intorno, né di lasciare che altri ardisca di farlo e di metterla sotto terra così".

Il monatto si mise una mano sul petto; poi tutto premuroso, quasi ossequioso, più per il nuovo sentimento da cui era come soggiogato che per l'inaspettata ricompensa, s'affaccendò a fare un pò di posto sul carro per la morticina.

La madre, dato a questa un bacio in fronte, la mise lì come su un letto, ce l'accomodò le stese un panno bianco sopra e disse le ultime parole: "Addio Cecilia, riposa in pace! Stasera verremo anche noi, per restare sempre insieme, prega per noi che io pregherò per te e per gli altri". Poi voltandosi di nuovo al monatto "voi" disse "passando di qui verso sera, salirete a prendere anche me, e non me sola!"

Così detto rientrò in casa e, un momento dopo s'affacciò alla finestra, tenendo in collo un'altra bambina più piccola, viva, ma con i segni della morte in volto.

Stette a contemplare quelle così indegne esequie della prima finché il carro non si mosse, finché lo poté vedere poi disparve.

E che altro poté fare, se non posare sul letto l'unica che le rimaneva e mettersela accanto per morire insieme?

Come il fiore già rigoglioso sullo stelo cade insieme col fiorellino ancora in boccio al passare della falce che pareggia tutte l'erbe del prato.

Metti le parole o i verbi elencati nelle frasi seguenti:

soggiogare, giacere, ardire, uscio, adornare, guasta, maestoso, contemplare, pareggiare, esequie, convoglio, insolito, rigoglioso, omero, ossequioso, disparire, esitare.

1. È .... da sua moglie.

2. Il corpo dell'uomo ucciso .... sul pavimento.

3. Il soldato ha avuto l' .... di disubbidire al suo comandante.

4. Mario ha un giardino ....

5. Oggi si sono celebrate le .... del signore morto.

6. In questo periodo c'è un caldo ....

7. Il re ha un aspetto veramente ....

8. È bello .... un tramonto pittoresco.

9. Finalmente ho pagato il mio debito e ho .... i conti.

10. Ho chiuso l'........................... perché era freddo.

11. Ho visto passare il .... dei carri militari.

12. Il treno allontanandosi .... nella nebbia.

13. Questa panna non è più buona è ....

14. Per la festa .... la mia casa.

15. Ho appoggiato la testa sull' .... di mio marito.

16. Lui è .... con il suo capoufficio.

17. Lei .... prima di lasciarlo per sempre.

CENNI DI STORIA
IL SETTECENTO

| Il panorama italiano in questo periodo mostra una presenza al nord del predominio austriaco al posto di quello spagnolo. Nonostante il governo illuminato di Maria Teresa, i concetti di libertà e uguaglianza dei francesi e l'indipendenza degli Stati Uniti d'America contribuiscono a porre le basi per un fermento negli animi degli italiani contro le dominazioni straniere.

L'ARTE

Il Rococò rappresenta all'inizio del secolo uno stile festoso e allegro che si diffonde in tutta Europa. L'aspetto prevalente è dettato dalla cultura Veneziana che impone la propria immagine attraverso artisti come Longhi, Tiepolo e Canaletto.

LONGHI (1701-1785)

Dipinge tele che hanno come soggetto ambienti e personaggi delle realtà di ogni giorno ponendosi come straordinario cronista della sua epoca a Venezia.

 **Descrivi gli atteggiamenti e gli abiti dei protagonisti del dipinto.**

....

....

....

....

....

Pietro Longhi, «Il sarto», 1741.

TIEPOLO (1696-1770)

Pittore estremamente versatile, dipinge presso le corti più famose ed è capace di adattarsi a tecniche e dimensioni diverse. I colori sempre sgargianti comunicano sensazioni di fantasia e gioia.

 **Descrivi gli elementi illustrati nel dipinto:**

....

....

....

....

Tiepolo, «Allegoria dell'Africa», Würzburg.

CANALETTO (1691-1768)

Grazie alle sue vedute veneziane, caratterizzate da una luminosità e brillantezza uniche, l'artista ha un successo travolgente. Nei suoi dipinti è sempre attento a creare prospettive scenografiche e suggestive.

Scegli la risposta esatta:

Il Bucintoro è
- la barca del Doge ☐
- una razza di toro ☐
- un animale preistorico ☐

Il molo è
- un animale da lavoro ☐
- il punto di attracco delle barche ☐
- un personaggio storico ☐

Il Canaletto è
- un piccolo canale ☐
- il nome d'arte di un pittore ☐
- un cane piccolo ☐

CENNI DI STORIA
NAPOLEONE IN ITALIA

Napoleone Bonaparte incaricato dal Direttorio di portare in Italia un attacco alla coalizione antifrancese ottenne una serie di successi che determinarono il crollo dell'egemonia autriaca nella nostra penisola e la nascita di repubbliche e regni controllati dalla Francia. Questa nuova presenza in Italia portò sicuramente nuove idee di libertà e modernità. Inoltre Napoleone contribuì a modernizzare i codici giuridici con leggi innovative.

ARTE

C'è in questo periodo una totale ispirazione all'arte e alla moda classica che verrà copiata anche nell'abbigliamento e nelle pettinature femminili.

CANOVA (1757-1822)

È forse il più famoso scultore dell'Ottocento. Ispirava le sue opere al gusto ed alla perfezione della tradizione classica greco-romana. Famosissima la sua scultura che ritrae Paolina Bonaparte comodamente sdradiata sull'agrippina, in una posa che ricorda una matrona romana.

Scegli la risposta preferita:

	spontanee	☐
Mi metto in posa per una foto…	studiate	☐
Quali pose preferisci?	fatali	☐
	divertenti	☐
Una matrona ti fa pensare	austera	☐
a una donna…	vecchia	☐
	grassa	☐
L'Agrippina secondo te è…	un divano simile a un letto	☐
	una piccola donna	☐
	una poltrona	☐

CENNI DI STORIA
IL CONGRESSO DI VIENNA

D opo l'esperienza Napoleonica inizia la restaurazione. Con il congresso di Vienna i vecchi re assolutisti tornano sui loro troni e l'aria di rinnovamento e liberazione viene soffocata nella repressione. L'Italia è di nuovo sottomessa e divisa in stati e staterelli, ma le idee di indipendenza erano ormai entrate nella coscienza nazionale.

QUESTO È IL QUADRO
DELLA PRESENZA STRANIERA
IN ITALIA NEL 1815

Il Regno di Sardegna
Vittorio Emanuele I di Savoia

Regno Lombardo Veneto
Austria

Ducato di Parma e Piacenza
Maria Luisa d'Austria

Granducato di Toscana
Ferdinando III di Lorena

Lo Stato pontificio
Il Papa

Il Regno delle Due Sicilie
Ferdinando IV di Borbone

IL LOMBARDO-VENETO AUSTRIACO

L' Austria era uno stato moderno sotto l'aspetto amministrativo, militare e finanziario. Aveva un ordinamento legislativo uguale per tutti i popoli che vivevano nei suoi domini, anche se diversi per lingua e tradizioni. In questo stato vi erano le basi per una politica economica onesta e regolare, quella politica economica cui la Lombardia e il Veneto devono parte del loro attuale benessere, un'economia che creò scuole tecniche e grosse industrie. L'Austria era certamente l'organismo statale più solido e meglio organizzato in Europa, ma in Lombardia e Veneto la polizia impediva, con la più stretta vigilanza e con l'arresto dei patriotti, ogni possibilità di ribellione.

I BORBONI A NAPOLI

Ferdinando era un re autoritario, assolutista, borghese, amava le parate militari poiché aveva la passione per le uniformi. Era un pater familias partenopeo possessivo, cosciente del suo potere non si limitò ad occupare il trono, ma lo riempì fino alla massima capienza. Fu lui a costruire nel 1839 la prima ferrovia italiana la Napoli-Portici e a dare a Napoli l'illuminazione a gas, dimenticandosi però del resto del regno. Napoli divenne una delle mete più sofisticate del turismo internazionale del tempo.

Si scriveva che *Roma e Pisa erano morte, Firenze non era morta, dormiva, solo Napoli straripava di vita.* La popolazione di questa città veniva considerata una delle più allegre. Sotto il baldacchino del cielo ridevano, mangiavano, cucinavano, urlavano, dormivano, amoreggiavano e compivano tutto ciò che fa parte della vita.

 Cosa significa l'espressione: mentalità borbonica

LE CERAMICHE DI CAPODIMONTE

L'arte di Capodimonte nasce e si sviluppa dall'antica tradizione della Real Fabbrica di Capodimonte, che risale alla dominazione borbonica a Napoli.

Tale esperienza artistica, tramandata da padre in figlio, ha reso famosa in tutto il mondo la pregevole lavorazione della porcellana.

Grazie alle mani esperte di famosi artigiani, l'arte di Capodimonte, nel tempo, si è specializzata nella realizzazione di preziose manifatture curate in ogni minimo particolare.

CENNI DI STORIA
IL RISORGIMENTO

Le regioni italiane sottoposte alla dominazione dei sovrani stranieri desideravano unirsi in un solo stato nazionale. Questo periodo storico, che ricopre tutto il 1800 ha una grande importanza per il raggiungimento dell'unità politica italiana ed è ricordato con il nome di «Risorgimento». Le cause che lo determinarono sono molteplici. Innanzi tutto quelle politiche dettate dall'aspirazione alla libertà e all'indipendenza dallo straniero; il desiderio dell'unità nazionale, la richiesta di ordinamenti costituzionali. In secondo luogo le ragioni economiche, la borghesia divenuta classe dominante e arricchita dalla rivoluzione industriale, non poteva più accettare la suddivisone della penisola in stati e staterelli ognuno protetto da dazi, dogane, barriere fiscali. In terzo luogo le ragioni culturali: una fascia sempre più vasta di intellettuali e di studenti dava vita a movimenti, organi di stampa e di opinione, convegni, circoli per rivendicare il diritto dell'Italia a costituirsi in nazione, forte del suo passato, delle sue tradizioni del pensiero dei suoi grandi. Artefici del Risorgimento furono: Cavour, Mazzini, Garibaldi e la Casa Savoia.

CURIOSITÀ

 La Carboneria

I patriotti, nell'impossibilità di manifestare liberamente le proprie aspirazioni di libertà, si riunivano in società o associazioni segrete. La più importante società segreta diffusasi in Italia fu "la Carboneria" che ebbe origine nel regno delle due Sicilie ed in seguito si estese in tutti gli stati italiani.

Garibaldi e Mazzini

Non era ancora scoccata l'ora della liberazione dell'Italia quando Mazzini e Garibaldi si trovano faccia a faccia a Marsiglia. Erano due persone completamente diverse sotto ogni aspetto. Il genovese Mazzini aveva lineamenti tesi, volto pallido, vestiva interamente di nero in segno di lutto per la patria. Il nizzardo Garibaldi era un ottimista, un ardito capitano di marina pieno di ingegno e di intuizione e fornito di grande passione. Vi era un tratto che li univa; l'amore per l'Italia, per il suo avvenire e per i suoi destini. Senza Mazzini che ne fu il cervello e senza Garibaldi che ne fu la spada la rivoluzione e l'unità d'Italia non sarebbero state possibili.

Ma a questa unione bisogna aggiungere la Monarchia piemontese dei Savoia ed il primo ministro Cavour che appoggiarono politicamente questo progetto. L'unione della rivoluzione e della diplomazia, della spinta insurrezionale e delle armi regie provocarono l'insieme delle circostanze favorevoli che permisero di completare l'unità d'Italia.

CAVOUR

Era di statura un poco al di sotto della media, grassoccio nella persona, di portamento distinto, di colorito rosso, biondo di capelli, con occhi azzurri, che scintillavano sotto gli occhiali.
Per natura allegro, Cavour si presentava quasi sempre col sorriso sulle labbra ed amava entrare in discorso con qualche parola scherzosa. La parola gli usciva dalle labbra contaminata dal francese, ma era considerato un bravo oratore. Cavour stimava poco la gente che lo circondava e non tollerava quelli che avevano le sue stesse capacità: chiunque avesse a che fare con lui doveva essere a lui sottoposto. Sapeva portare il broncio e serbare rancore ma non odiare.
Aveva modi di fare bruschi, brevi, incuranti dell'altrui sensibilità, il sorriso ironico, l'abitudine ad impartire ordini. Si comportava nella Camera dei Deputati come se l'opposizione non esistesse, come se egli fosse nel suo salotto, in casa sua, fra i suoi familiari.
Parlava, rideva, si sdraiava, sbadigliava, tormentava con il tagliacarte il velluto della tavola. Aveva un modo di ragionare pratico, lucido, andava diritto al cuore della questione.

LA SPEDIZIONE DEI MILLE

Il primo maggio 1860 Garibaldi annuncia: "Amici, noi partiamo!" Un migliaio di volontari erano arrivati a Genova. L'ordine di imbarco venne dato la sera del 5 maggio a Quarto. I volontari, tutti con indosso una camicia rossa, non sapevano né dove erano diretti, né a quali rischi si sarebbero esposti, ma chiedevano solo di servire il loro capo.
La spedizione partiva alla conquista del Regno delle due Sicilie con 1072 volontari armati di vecchi fucili e poche munizioni, alle una dell'11 maggio, le camicie rosse sbarcarono in Sicilia a Marsala al grido di "Viva l'Italia! Viva Vittorio Emanuele re d'Italia!".
Intanto il re marciava con il suo esercito verso il sud e incontrò il generale Garibaldi a Teano, vicino Napoli: il generale consegnò al re i territori conquistati e si ritirò nell'isola di Caprera (Sardegna). Era la primavera del 1861.

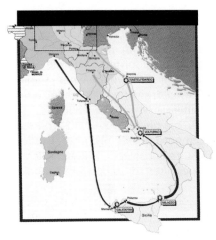

- Regno di Sardegna nel 1848
- Regno d'Italia nel 1860
- Territori passati alla Francia nel 1860
- Regno d'Italia nel 1861
- Itinerario dei Mille di Garibaldi
- Esercito piemontese

VITTORIO EMANUELE II RE D'ITALIA

La Savoia agli inizi del 1000 non era che una piccola contea al confine con la Francia che si ingrandì piano piano fino a comprendere tutto il territorio italiano.
Vittorio Emanuele II di Savoia fu proclamato re d'Italia il 14 marzo 1861 e Torino divenne la capitale del nuovo regno. Il re era nato a Torino il 4 maggio 1820, aveva partecipato alla prima guerra per l'indipendenza italiana dove si era dimostrato un abile e valoroso soldato. Da allora era divenuto uno degli artefici dell'unità d'Italia, ne riordinò lo stato, migliorò le finanze, riorganizzò l'esercito, favorì l'istruzione, lo sviluppo dell'agricoltura, dell'industria e del commercio.

PERCHÉ ROMA CAPITALE

Nel 1861 Roma era ancora dominio della chiesa, passò al Regno d'Italia solo nel 1870. Cavour, allora primo ministro, spiegò al Parlamento che era stato trasferito a Firenze, scelta come capitale dopo Torino, le ragioni che spingevano a pensare a Roma come capitale. Cavour disse che erano ragioni morali e storiche, poiché una capitale non si sceglie per il clima o la posizione geografica e neppure per ragioni strategiche, è il sentimento dei popoli quello che conta. A Roma sono presenti tutte le circostanze storiche, intellettuali e morali per farne la capitale di un grande stato. Nel 1871 Roma fu proclamata capitale d'Italia.

I PROBLEMI DOPO L'UNITÁ D'ITALIA

Fino all'unità d'Italia ogni regione si era retta autonomamente conservando le proprie tradizioni, usando la propria lingua o il proprio dialetto, obbedendo a proprie leggi con proprie monete ed una diversa economia. La prima necessità fu quella di estendere le stesse leggi su tutto il territorio, di introdurre la lira come moneta e di usare la lingua italiana nei documenti ufficiali. Una grande differenza vi era tra le regioni dell'Italia settentrionale, più ricche e organizzate e le regioni del meridione dove il governo borbonico aveva ostacolato lo sviluppo. Contadini, disoccupati si diedero al brigantaggio terrorizzando la popolazione. Mentre il Nord si avviava verso un concreto sviluppo economico e industriale, il Sud viveva in condizioni di arretratezza.
Iniziò così il dramma dell'emigrazione verso gli stati esteri, soprattutto l'America.

IL SUD E IL BRIGANTAGGIO

Nel 1863 una commissione parlamentare d'inchiesta sul fenomeno del brigantaggio fornisce le seguenti conclusioni: *"Il brigantaggio, è la brutale e selvaggia protesta contro la miseria e le ingiustizie sociali. Ma la sola miseria non susciterebbe effetti così drammatici se non fosse unita agli altri mali causati dai Borboni.*
Questi mali sono l'ignoranza, gelosamente conservata ed ampliata, la superstizione diffusa, la mancanza di fiducia nelle leggi e nella giustizia..."
Il brigantaggio era alimentato dai Borboni, infatti il re Francesco II, rifugiatosi sotto la protezione del Papa a Roma, forniva denaro a queste bande per combattere il governo piemontese nella speranza di riconquistare il trono.
D'altra parte la tendenza dei piemontesi ad imporre le proprie leggi trascurando le consuetudini civili e militari delle regioni del Sud, fece sentire la gente sopraffatta e vittima di quella che chiamavano ironicamente "l'ultima invasione barbarica".

Indica il sinonimo o il significato delle seguenti parole:

Inchiesta ....

Fornire ....

Brutale ....

Ignoranza ....

Trascurare ....

Consuetudine ....

Ironicamente ....

Spunti per la conversazione o la composizione...
La superstizione. Vogliamo discuterne?

VIVA VERDI

L'opera lirica ebbe grandissimo successo nell'Ottocento. La sua musica ben esprimeva lo spirito romantico dell'epoca. Musicisti come Rossini, Bellini, Doninzetti ebbero grande popolarità. Ma fra tutti il più celebre fu senz'altro Giuseppe Verdi.
Nato nel ducato di Parma a Busseto nel 1813, fu amatissimo dai patrioti. Il suo cognome venne addirittura utilizzato come slogan per prendersi gioco della polizia austriaca; "VIVA VERDI" significava VIVA VITTORIO EMANUELE RE D'ITALIA.
Ma ad emozionare i patrioti fu soprattutto il canto e in particolare il coro "Va pensiero!", inserito nell'opera "il Nabucco" che esprimeva il lamento degli ebrei prigionieri a Babilonia. I patrioti vi videro un'allusione all'Italia non ancora completamente libera e unita.

Spunti per la conversazione o la composizione...
La Lirica. Vogliamo discuterne?

CENNI DI STORIA
LA PRIMA GUERRA MONDIALE

N ella prima guerra mondiale l'Italia rimane neutrale fino al 1914. La popolazione si
divide subito in due fazioni: coloro che vogliono entrare in guerra, gli interventisti,
e i non interventisti. I primi sono pochi e sono appoggiati dal re e dai potenti uomini di governo, che con la guerra vorrebbero strappare all'Austria i territori del Trentino,
dell'Alto Adige di Trieste e dell'Istria. La guerra si rivela subito molto difficile, era diversa dalle precedenti, era una guerra di "trincea" dove i soldati erano esposti al sole, alla
pioggia, alla neve, dove erano costretti a vivere nella polvere o nel fango a contatto con
feriti e morti. Nonostante ciò gli italiani riescono infine a sedere al tavolo delle trattative alla fine del conflitto nel 1918 e riescono a riconquistare i territori del nord-est, l'unità d'Italia era completa.

LA LEGGENDA DEL PIAVE

L a leggenda del Piave è la canzone più famosa della prima guerra
mondiale. È stata scritta da un musicista napoletano Giovanni
Gaeta che si firmava Mario. Scrisse questa canzone nel 1919 a
guerra terminata, infatti non c'è traccia della sofferenza e della
paura, ma piuttosto esaltazione della vittoria, dell'eroismo e del patriottismo.

1) Il Piave mormorava
calmo e placido al passaggio
dei primi fanti in ventiquattro maggio:
l'esercito marciava per raggiungere la frontiera,
per far contro il nemico una barriera.
Muti passaron quella notte i fanti,
tacere bisognava e andare avanti.

S'udiva intanto dalle amate sponde
sommesso e lieve il tripudio de l'onde...
era un presagio dolce e lunghiero.
Il Piave mormorò:
«Non passa lo straniero».

2) Ma in una notte trista
si parlò di tradimento,
e il Piave udiva l'ira e lo sgomento...
Ahi, quanta gente ha vista
venir giù, lasciare il tetto,
poi che il nemico irrupe a Caporetto!
Profughi ovunque! Dai lontani monti,
venivano a gremir tutti i suoi ponti.

S'udiva, allor, dalle violate sponde,
sommesso e triste il mormorio de l'onde:
come un singhiozzo, in quel autunno nero,
il Piave mormorò:
«Ritorna lo straniero».

3) E ritornò il nemico
per l'orgoglio e per la fame:
volea sfogare tutte le sue brame...
Vedeva il piano aprico,
di lassù: voleva ancora
sfamarsi e tripudiare come allora...
No! Disse il Piave. No! Dissero i fanti,
mai più il nemico faccia un passo avanti!

Si vide il Piave rigonfiar le sponde!
E come i fanti combattevan l'onde...
Rosso del sangue del nemico altero,
il Piave comandò:
«Indietro va', straniero!».

4) Indietreggiò il nemico
fino a Trieste, fino a Trento...
E la vittoria sciolse le ali al vento!
Fu sacro il patto antico:
tra le schiere furon visti
risorgere Oberdan, Sauro, Battisti...
L'onta cruenta e il secolare errore
infranse, alfin, l'italico valore.

Sicure l'Alpi... Libere le sponde...
E tacque il Piave: si placaron l'onde...
Sul patrio suolo, vinti i torvi imperi,
la pace non trovò
né oppressi, né stranieri.

IL DOPOGUERRA
GLI SCHIERAMENTI POLITICI

L'Italia esce dalla guerra indebolita ed in crisi politica. Le elezioni del 1919 danno un'idea dei cambiamenti:

LIBERALI E CONSERVATORI	Perdono la maggioranza in Parlamento
SOCIALISTI	Triplicano i loro voti
CATTOLICI	Riuniscono le forze progressiste e conservatrici legate alla Chiesa.
FASCISTI	Si erano appena organizzati nei fasci di combattimento. Erano reduci e disoccupati riuniti da Benito Mussolini.

IL FASCISMO E L'ANTICA ROMA

I grandi industriali e proprietari terrieri volendo risollevare l'economia incoraggiano i fascisti, così come la grossa borghesia che li appoggia e li finanzia, il governo è debole e non interviene, la polizia e le autorità locali li favoriscono.
Nell'ottobre del 1922 i fascisti partendo da Perugia marciano su Roma per prendere il potere che viene affidato dal re Vittorio Emanuele III a Benito Mussolini.
Iniziava il ventennio fascista.
La propaganda fascista creò dei punti di contatto tra l'antica Roma ed il regime di Mussolini, il fascismo voleva essere come il naturale prosecutore dell'antica Roma.
Mussolini si faceva chiamare Duce, che in latino significa generale, capo militare apprezzato ed amato dai soldati che lo seguivano ubbidienti.
I fascisti reintrodussero il saluto romano alzando il braccio destro e il fascio littorio come simbolo, già usato in età romana.
Era un fascio di bastoni di legno legati insieme che, nell'antica Roma, rappresentava il potere dei consoli, da esso presero il nome, prima il movimento dei Fasci di combattimento, poi il partito Fascista.

CURIOSITÀ

 I fasci di combattimento
La parola fascio significa: lega, cioè unione. Sorse intorno al 1891 in Sicilia con il movimento dei fasci siciliani che comprendeva operai, artigiani, contadini i quali intendevano protestare contro le pesanti tasse del governo e contro i grandi proprietari terrieri.

BENITO MUSSOLINI

Era nato a Predappio in provincia di Forlì nel 1883. Giovanissimo si dedicò alla politica militando nel partito socialista e dirigendo il quotidiano "l'Avanti". Diventò presto il portavoce del malcontento popolare di tutti gli italiani e fondò il partito dei "Fasci di Combattimento". Affidatogli dal Re l'incarico di formare il nuovo governo, si assunse dinanzi al paese il compito di guidarlo e di risollevarne le sorti. Riuscì nel suo intento servendosi di una politica nazionalista e dittatoriale. Le vicende storiche e politiche dell'Europa lo portarono ad allearsi alla Germania di Hitler fino alla morte avvenuta il 25 luglio 1945. Fu fucilato assieme alla sua donna Claretta Petacci a Milano per mano del «comitato di resistenza antifascista».

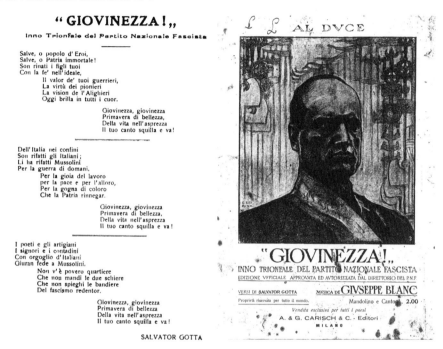

GABRIELE D'ANNUNZIO (1863-1938)

Il raffinato gusto estetico presente nelle poesie si riflette nella vita di Gabriele D'Annunzio, il quale più di una volta dichiarò di volere realizzare con la propria esistenza un'opera d'arte. D'Annunzio nacque a Pescara in Abruzzo nel 1863, la sua vita fu un'atmosfera satura di bellezza, di gesti eroici e parole profetiche. Il suo estetismo esasperato lo portò alla ricerca continua del successo, che rappresentò la costante della sua vita, sia per il ritorno economico con cui si poteva garantire una vita facile e lussuosa, sia per il piacere della gratificazione. D'Annunzio impersonò tutte le possibili figure pubbliche e si fece fotografare nelle situazioni più disparate; come cavallerizzo, come aviatore e spericolato protagonista nella prima guerra mondiale o come seduttore. Il più celebre amore della sua vita fu certamente l'attrice Eleonora Duse, la quale recitò in teatro tutte le opere dell'autore. D'Annunzio raccontò la storia del loro amore nel romanzo "Il fuoco", con il quale nel 1900 si apre la letteratura italiana moderna.

Egli fu certamente il poeta scrittore più odiato dai suoi coetanei, ma ha avuto certamente il merito di avere riportato la letteratura italiana a dimensione europea.

BRANO DELLA POESIA
«LA PIOGGIA SUL PINETO»

...e piove sui nostri volti
silvani,
piove sulle nostre mani
ignude,
sui nostri vestimenti
leggeri,
sui freschi pensieri
che l'amore schiude
novello,
sulla favola bella
che ieri
m'illuse, che oggi t'illude,
o Ermione!

Prova a descrivere quali sensazioni suscitano in te questi versi scegliendo fra queste parole: disillusione, tristezza, grandezza, distacco, malinconia, oblio, speranza, passione, solitudine.

IL COLONIALISMO ITALIANO

Nel 1936 anche l'Italia possedeva alcune colonie in Africa: l'Eritrea, la Somalia, l'Etiopia e la Libia. La politica imperialista, promossa dal fascismo, portò alla costituzione dell'Impero dell'Africa orientale italiana. Territori perduti nella seconda guerra mondiale.

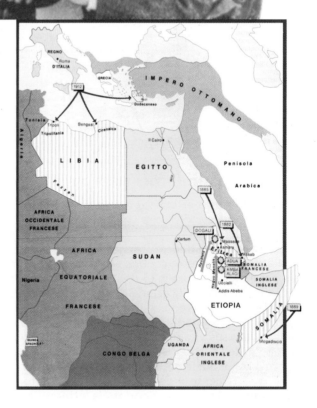

CENNI DI STORIA
LA SECONDA GUERRA MONDIALE

S offiava un grande vento di scirocco a Roma in quel giorno del 10-6-1940 quando Mussolini parlò dal balcone di Palazzo Venezia. Fino a quel giorno gli italiani non sapevano se l'Italia si sarebbe o no affiancata alla Germania hitleriana.

Lo stesso Mussolini avrebbe voluto prendere le armi non prima del 1942-'43 conoscendo l'impreparazione dell'esercito italiano, ma poi le vittorie dell'esercito tedesco lo spinsero alla belligeranza.

A chiunque protestava, compresa la principessa Maria José, per questa sua decisione, rispondeva con fare profetico che non bisognava disertare la storia.

Piazza Venezia con il balcone centrale da cui parlava Mussolini.

Scrivi un sinonimo delle seguenti parole o spiegane il significato:

Balcone ....

Esercito ....

Decisione ....

Belligeranza ....

Giorno ....

Profetico ....

Scrivi il contrario dei seguenti verbi:

Parlare ....

Sapere ....

Prendere ....

Protestare ....

Rispondere ....

Disertare ....

L'ITALIA NELLA STORIA

L'ITALIA IN CRISI
L'ARRESTO DI MUSSOLINI - L'ARRIVO DEGLI ALLEATI - LA REPUBBLICA

La guerra fu sfavorevole all'Italia e il Re Vittorio Emanele III il 25 luglio 1943 destituì il capo del Governo Mussolini che venne arrestato. Intanto si iniziarono trattative riservate per un armistizio unilaterale fra il governo regio e gli alleati. Mentre in Italia si formava una forte organizzazione di resistenza alla politica filotedesca.

L'8 settembre veniva firmato l'armistizio con gli alleati scatenando la reazione delle truppe tedesche che occupavano la penisola. Il re e alcuni ufficiali dell'esercito si rifugiarono a Brindisi sotto la protezione degli alleati (che la occupavano) sfuggendo alle rappresaglie tedesche. A questo punto l'esercito italiano si sfaldò mentre Mussolini venne liberato dai tedeschi e si recò a Salò, nel nord Italia, dove organizzò una repubblica sociale. Nel sud Italia si formò un governo sotto il patrocinio degli alleati, per cui la popolazione si trovò in balia di eventi caotici. Fallito il tentativo di Salò, Mussolini nel 1945 mentre tentava di fuggire in Germania, fu bloccato dai partigiani che lo fucilarono. All'inizio del 1946 il re Vittorio Emanuele abdicò in favore del figlio Umberto cercando di recuperare la popolarità perduta.

È il 2 giugno 1946, quando a Piazza del Popolo a Roma i romani fanno gran festa al risultato del referendum con cui l'Italia non è più una Monarchia ma una Repubblica.

Il 13 giugno dello stesso anno il re Umberto II di Savoia s'imbarca all'aeroporto di Ciampino sull'aereo che lo porterà in esilio in Portogallo. Umberto II è stato l'ultimo re d'Italia ed ha regnato per soli 24 giorni nel mese di maggio del 1946, per questo fu chiamato "re di maggio".

BREVE STORIA DELLA LINGUA ITALIANA
DA DANTE FINO A OGGI

Nel 1300 e 1400, dopo Dante, si ha un ritorno allo studio e all'uso della lingua latina. Nonostante ciò la lingua volgare continua a crescere ed a divulgarsi. Nel 1500 la lingua usata da Dante, Petrarca e Boccaccio si diffonde nei vari ambienti intellettuali e culturali d'Italia.

Nel 1600, anche se l'insegnamento Universitario si effettua ancora in lingua latina, lo scienziato Galileo Galilei scrive i suoi trattati in lingua italiana mentre, lo scrittore Carlo Goldoni comporrà le sue allegre commedie in lingua volgare (dialetto Veneziano).

Gli uomini colti del momento conoscono due lingue; l'italiano e il latino, ma la maggioranza della popolazione parla solo il dialetto.

Nel 1800, con il diffondersi dell'istruzione elementare e con i fermenti patriottici del Risorgimento si amplia la conoscenza della lingua italiana. È proprio all'inizio di questo secolo che il grande scrittore Alessandro Manzoni scrive il suo romanzo "I promessi sposi", in una lingua semplice e comprensibile a tutti: l'italiano dei toscani.

Vicino a lui ci sono, però, anche molti scrittori che usano il dialetto, ad esempio Gioacchino Belli scrive in romanesco.

Nel 1900, durante il ventennio fascista, abbiamo un uso molto rigido della lingua che non ammette l'introduzione di parole straniere ed elimina l'uso della forma di cortesia "Lei" e "Loro" sostituendola con il "Voi"; verrà poi reintrodotta negli anni '50. In questo periodo la lingua scritta usa vocaboli molto ricercati e particolari come possiamo notare nelle opere di D'Annunzio. È durante gli anni 1960-65 che la discussione sul futuro della lingua italiana si è fatta più viva. È stato il movimento letterario della Neoavanguardia, con il suo principale esponente lo scrittore e regista Pierpaolo Pasolini a parlare di crisi della lingua letteraria.

Costui pose due problemi: il primo riguardava l'affermarsi di una cultura tecnologica e quindi di un linguaggio tecnologico, il secondo l'uso del dialetto che avrebbe permesso di conservare il senso stesso della vita storica del nostro popolo.

Questo conflitto, che è stato fonte di discussione per tutti gli altri letterati, non si è mai risolto ed ancora oggi se l'italiano standard della lingua scritta unisce tutti gli italiani, la lingua parlata li differenzia da regione a regione.

L'ACCADEMIA DELLA CRUSCA

L'Accademia della Crusca è nata nel 1582 a Firenze per opera di alcuni letterati burloni che si dettero tale nome per scherzo. (Crusca è un residuo della macinazione del grano e viene usata per l'alimentazione animale). Tale Accademia è diventata in seguito centro di studio e conservazione della lingua nazionale, compito che assolve anche ai giorni nostri.

IL NOVECENTO E L'ARTE

Nei primi anni del '900 la figura di Amedeo Modigliani, uno dei più significativi maestri in Europa, domina nella pittura. In Italia si assiste al fenomeno del Futurismo il cui caposcuola è Filippo Tommaso Marinetti.

La pittura futurista si basa sull'uso imprevedibile dei materiali e sulla ricerca di una realtà dinamica e non statica spesso concretizzata da paesaggi urbani in contrasto con la tradizione. Alla fine degli anni Trenta prende corpo un movimento di pittori legato all'espressionismo internazionale fra i quali ricordiamo Renato Guttuso.

La caratteristica è l'uso libero e forte del colore.

MODIGLIANI

L'inconfondibile allungamento dei personaggi, le espressioni piene di penetrante semplicità, l'eleganza delle figure sono la caratteristica di questo straordinario artista sia nella scultura che nelle pittura.

GUTTUSO

La sua arte sempre ricca di carica drammatica ed espressiva è stata spesso oggetto di discussioni e controversie.

Sopra: Modigliani, «Autoritratto», San Paolo del Brasile.

Qui a sinistra:
Guttuso, «Crocifissione», Roma.

L'INNO NAZIONALE

L'inno nazionale venne scritto da Goffredo Mameli, poeta e patriota genovese nel 1847 e musicato dal maestro Michele Novaro; dal 1947 è l'inno nazionale della Repubblica italiana. I versi dell'inno contengono molti riferimenti storici ma il senso è profondamente romantico.

Scritto da Goffredo Mameli nel 1847,
musica di Michele Novaro

Inno nazionale della Repubblica italiana dal 1947

Fratelli d'Italia,
l'Italia s'è desta;
dell'elmo di Scipio
s'è cinta la testa.
Dov'è la Vittoria?
Le porga la chioma;
ché schiava di Roma
Iddio la creò.

Stringiamoci a coorte!
Siam pronti alla morte;
Italia chiamò.

Noi siamo da secoli
calpesti, derisi,
perché non siam popolo,
perché siam divisi.
Raccolgaci un'unica
bandiera, una speme;
di fonderci insieme
già l'ora suonò.

Stringiamoci a coorte!
Siam pronti alla morte;
Italia chiamò.

Uniamoci, amiamoci;
l'unione e l'amore
rivelano ai popoli
le vie del Signore.
Giuriamo far libero
il suolo natio;
uniti, per Dio,
chi vincer ci può?

Stringiamoci a coorte!
Siam pronti alla morte;
Italia chiamò.

Dall'Alpe a Sicilia;
dovunque è Legnano;
ogn'uomo di Ferruccio
ha il core e la mano;
i bimbi d'Italia
si chiaman Balilla,
il suon d'ogni squilla
i Vespri suonò.

Stringiamoci a coorte!
Siam pronti alla morte;
Italia chiamò.

Son giunchi che piegano
le spade vendute;
già l'aquila d'Austria
le penne ha perdute.

Il sangue d'Italia
e il sangue Polacco
bevé col Cosacco,
ma il cor le bruciò.

Stringiamoci a coorte!
Siam pronti alla morte;
Italia chiamò.

Finito di stampare nel mese di giugno 2008
da Grafiche CMF - Foligno (PG)
per conto di Guerra Edizioni - Guru s.r.l.